トークライブ

今こそ問う！
日本の「平和」と憲法改正

ケント・ギルバート
伊藤　俊幸
ジェイソン・モーガン
河野　克俊
石　平
兼原　信克
ナザレンコ・アンドリー
谷口　智彦

明成社

はじめに

「憲法のあり方を考えることによって、活力ある日本の未来を拓く」。本書の内容のもととなったイベント「TOKYO憲法トークライブ（以下、憲法トークライブ）」を主催する「憲法BlueWave」の理念です。

私達は、普段はそれぞれ異なる仕事に就いている二十～三十代が集い、月に一～二回の会議を重ねながら、憲法改正について若者が主体的に考えられる企画を立てています。平成三十年に結成して以来、イベント開催や月刊誌への投稿、動画配信などに取り組んできました。

憲法トークライブの主な魅力は、各分野のスペシャリストによるご講演に加え、①参加者同士のグループディスカッション、②講師との活発なクロストークです。その他、司会から参加者に質問を投げかけ、「YES／NO」のフリップを用いて意思表示をするなど、インプットとアウトプットの両立により、若者らしい活気を生み出すことに主眼を置いています。毎度、百～二百名以上が集う憲法トークライブの参加者のうち、約七割が十～四十代です。イベント後のアンケートでは、行事開催の工夫について充実感を覚えたという感想も多く寄せられ、一人一人が活発に、そして真剣に日本のあり方を考える機会となっています。

かくいう私も、実ははじめから政治や憲法問題に関心があったわけではありません。大学在学時、日本の歴史・文化・伝統について学び、あとから来る者のために一所懸命に生きた先人への感謝の気持ちを抱いたことがきっかけです。そこから、私も公のためになることをしたいと思うようになりました。当時、大きな議論となっていた安保法制や憲法改正について関心を持ち、大学で唯一、憲法を学ぶ機会である「日本国憲法」の講義を受講したところ、レジュメには「人権論」と記されていました。中国による領海・空侵犯や北朝鮮によるミサイル発射等も起きている中、「国家の主権」についても考える必要があるのではないかと、違和感を抱いたのです。大学内に、国のあり方を学ぶ機会がないのなら、自分から創っていこうと考え、学生に憲法改正や自衛隊明記案に関するアンケート活動を始めました。その経験が、社会人になって憲法ＢｌｕｅＷａｖｅの活動に参加した原点です。

憲法改正に関する若い世代の意識について、問題点を整理・認識できれば多くの方が賛成する、というのが私の実感です。そして、祖国日本についても若い世代は決して悲観的ではありません。米国人弁護士、自衛隊トップ、歴史学者、評論家、外交官、安倍元総理のスピーチライター。計八名の先生方は、日本の現状を厳しく指摘すると共に、日本が世界で果たすべき使命を説き、私達若い世代を励ましてくださいました。

発刊にあたり、私達の活動を意気に感じてご出講いただいた先生方をはじめ、設立当初から私達の活動を応援してくださっている支援者の皆様、そして、それぞれが仕事を抱えながらも活動を共にする同志達に心より感謝申し上げます。

令和五年五月

憲法ＢｌｕｅＷａｖｅ代表　**神谷　龍**

トークライブ　今こそ問う！

日本の「平和」と憲法改正

目次

第1章　日本の「平和主義」を問う

カリフォルニア州弁護士　ケント・ギルバート

第１回 TOKYO 憲法トークライブ
（平成 30 年 10 月 14 日）

日本の「平和主義」を問う

ケント・ギルバート（カリフォルニア州弁護士）

憲法九条は「憲法違反」

今（二〇一八年）から百五十年前に何が起きたか、皆さんは覚えていますか？

明治維新です。幕末、日本はアメリカから開国を迫られ、不平等条約を交わしました。そして、この不平等関係を正常化するために近代化を実現し、西洋諸国と互角の力を持つ国にならなければならないと考え、明治維新を成し遂げました。

では、今から百年前に起きたことは覚えていますか？　百年前、第一次世界大戦が終結しました。このとき、日本は戦勝国でした。明治維新が実現してから、わずか五十年ほどで日本は世界の五大国に入りました。アメリカ、イタリア、フランス、イギリス、日本の五か国です。こうして、日本は自立した立派な国になったのですが、その後の大東亜戦争に敗れました。そして、敗戦後、占領政策が実施され、日本国憲法が制定されました。

さて、今の憲法ですが、皆さんはどう評価されますか？

私がここで勝手に評価してみましょうか。意外かもしれませんが、日本国憲法はそんなに悪くないと思います。服に例えると、高島屋のオーダーメイドのスーツではなく、既製品です。ユニクロのチノパンといったところでしょうか。どういうことかと言うと、機能的で充分使うことができるのですが、誇れる特長が何一つないのです。実際にこれまで結構役に立ってきました。しかし、よく見てみますと、チノパンはチノパンでも、訳あり製品なのです。糸がほどけていたり、チャックが半分しか上がらないといった具合に。

では、具体的にどこが悪いのかといえば、まず前文がおかしいです。日本国憲法前文には、次のように書かれています。

「平和を愛する諸国民の公正と信義に信頼して、われらの安全と生存を保持しようと決意した」

「平和を愛する諸国民」とは、一体誰のことを言っているのでしょうか。ひょっとして、中国や北朝鮮のことでしょうか。そうだとして、それらの国々は、日本に対して「公正と信義」を持っているのでしょうか。これだけでも、全くもっておかしな話ですね。さらに、「平和を愛する」と言いますが、そもそも「平和」とは、どういう状態のことを指すのでしょうか。

実は、「平和」は、法律用語でもなければ、法的な意味をなす言葉でもない、客観的な定義がない本人の主観に過ぎない言葉です。つまり、それ自体では意味をなさない言葉と言ってもいいでしょう。

この後も、前文にはよくわからない文章が続き、さらには「われらの安全と生存を保持しようと決意した」と謳っています。ところが、この憲法の目的を阻害しているのが、憲法九条なのです。九条には一項と二項があります。一項は問題ありません。一項には、侵略戦争を否定することが明記されています。こういった条文は、世界百八十か国以上の国の憲法で同様の内容が記載されています。私が問題にしたいのは、二項の次の条文です。

「前項の目的を達するため、陸海空軍その他の戦力は、これを保持しない。国の交戦権は、これを認めない」

要するに、「軍隊を持ってはいけない」と言っているわけです。これでは、日本国憲法の目的としている「われらの安全と生存を保持する」ことなんて、できるわけがありません。

以上の理由から、私は常々、「憲法九条は憲法違反」と訴えております。憲法九条二項が他の条文の規定を台無しにしているからです。

私は以前、「朝まで生テレビ」というテレビ番組で「憲法九条二項は憲法違反だ」と発言しました。そうしたら、真向かいに座っていた小林よしのりさんが、「それは正しい」と言いました。続いて、横から田原総一朗さんが、「だって外国人が書いた憲法だもの」と発言したところで、テレビ朝日はすぐコマーシャルに切り替えてしまいました。あそこは速いです。私がしゃべるとき、コマーシャルへの切り替えボタンの上に指を置いているのでしょうか（笑）。

日本はいま平和と言えるのか

もう一つ見てみましょう。十三条と二十五条には、それぞれ幸福追求権と生存権が記されています。

【十三条】すべて国民は、個人として尊重される。生命、自由及び幸福追求に対する国民の権利については、公共の福祉に反しない限り、立法その他の国政の上で、最大の尊重を必要とする。
【二十五条】すべて国民は、健康で文化的な最低限度の生活を営む権利を有する。

こういった崇高な理想を台無しにしてしまうのが、憲法九条なのです。皆さんが一歩でも日本の外に出れば、国はあなたを守ることができません。北朝鮮の拉致被害者のことを考えてみて下さい。あの方々に対して、日本は一体何ができているのでしょうか。残念ながら、アメリカ大統領にお願いすることくらいしかできていないように思えてしまいます。

学校の先生はどのように憲法を教えますか。「平和憲法」と教えていますよね。つまり、日本国憲法のおかげで、戦後七十年以上、平和が続いてきたと言っているわけです。

しかし、本当にそうなのでしょうか。そもそも、日本はいま平和だと言えるのでしょうか。平和な国なのであれば、まず国境が確立していなければなりません。しかし、日本は北方領土や竹島、尖閣諸島を巡って近隣の国と問題を抱えていますね。

また、戦争していないということも平和国家の条件ですね。確かに、日本は戦争をしていません。しかしながら、ロシアや北朝鮮といった近隣諸国と正式な国交を樹立していません。

さらには、国内勢力で秩序を乱す勢力がいないということも条件の一つです。これはどうでしょうか。皆さん、沖縄を見てください。沖縄には中核派、革マル派も入り込んでいて、彼らの出版物も多数発刊されています。彼らはれっきとした極左暴力集団といってもいい人たちであるにもかかわらずです。

そして、「平和国家」の条件として大切なのは、「抑止力」が効いているかどうかです。しかし、残念ながら日本独自の抑止力はありません。そのことがわかっているからこそ、中国や北朝鮮は日本を舐めてかかっているのです。もし、日本独自の抑止力を持っていたなら、北朝鮮は日本人をあれだけ大勢連れ去ったでしょうか。いや、しなかったでしょう。あるいは、日本が「返せ」と言ったら、返したでしょう。

二〇一八（平成三十）年十月、トルコで拘束されたアメリカの牧師が釈放されたというニュースがありました。この牧師は、トルコのエルドアン大統領に対するクーデター計画に関与したとして、二年間ほど拘束されていました。トルコでは有罪判決になりましたが、アメリカはトルコ側の主張には根拠がないとして即時釈放を要求していました。しかし、トルコが一向に彼をアメリカに返そうとしないため、トランプ大統領はトルコに対して高い関税を課すなど、厳しい制裁措置を取りました。こうした中で、トルコはすぐに釈放せざるを得なくなりました。

こんなことが日本にできますか。絶対にできないでしょう。つまり、日本は自立国家としての精神を持ち切れていない国なのです。戦後長らくアメリカに依存してきたツケが回ってきていると言ってもいい。

国ということに限らず、人に当てはめて考えてみても、他者に依存している人は、自立できていない人が多いです。三十代後半で親と住んでいる人の中には、家賃も払わず、洗濯物だって親任せという人がいます。結婚する気もない。これでは自立した個人として生活しているとは到底言えないでしょう。

皆さんは、憲法について学校で先生にこう教わったと思います。

「九条があるから日本は平和です」「平和憲法を守っていくことが大切です」――。

すべて大嘘です。もしもいまの日本が平和な状態であるとするならば、それは憲法のおかげではありません。米軍と自衛隊の抑止力によって平和が保たれているだけなのです。

日本の「平和主義」は偽物

「平和主義」ってなんでしょう。あなたはどう思いますか。

（参加者「平和主義とは、戦うことをせずに相手の要求を呑んで、表面上のいざこざを行わないように、穏便にすることだと思います」）

私は違うと思うな。平和主義とは、戦争がないという状態、結果のことを指しているだけであって、「手段」については言っていないのです。

そもそも、日本で言われている「平和主義」は誤訳です。日本で言われているのは、英語のパシフィズム（pacifism）のことです。日本語に正しく訳すと、「不戦主義」となります。つまり、日本でいう「平和主義者」とは、「不戦主義者」のことを指します。戦わなければ平和になるというこの考え方は、本物の平和主義ではありません。本物の平和主義とは、戦争がない「状態」を維持することに苦心します。そのために必要な手段は、「戦わないこと」ではありません。私だって平和主義者です。皆さんも平和主義者でしょう。

不戦主義には、大きな問題が三つあります。

一つ目は、国が亡びる可能性があります。不戦主義者は、外国の軍隊が来ても戦わないという考え方をとります。しかし、そのようにして平和が保てるとは思えません。結果的にどうなるか。当然ながら、国が滅亡する可能性が高いのです。

そもそも、あくまで不戦主義を貫くならば、自分が戦う代わりに、他の誰かが戦わなければなりません。では、誰が戦うのでしょうか。前文に書いてある「公正と信義」を持っている諸外国ですか。中国や北朝鮮が日本を攻撃しないと思っていますか。もし本気でそう思っているのなら、ぜひ一度、チベットやウイグルに引っ越してみていただきたい。国際社会は、そんなに生やさしいものではないのです。あるいは、「国連が守ってくれる」という人もいるかもしれませんね。しかし皆さん、国連はいざというとき使い物になりませんよ。なぜならば、常任理事国（アメリカ、中国、ロシア、フランス、イギリス）には拒否権が認められているからです。どこか一国でも拒否権を発動すれば、国連は途端に機能しなくなります。

では、アメリカが日本を守ってくれるのでしょうか。確かに、日本とアメリカは日米安全保障条約を結んでいます。でもちょっと待って下さい。アメリカだって、仮に中国が尖閣諸島を不法占領したとき、その領土を守ってくれるでしょうか。日本自身が、自分の領土を守る意思がないのに、なぜアメリカの青年が血を流さないといけないのか、と当然思うのではないでしょうか。アメリカ大統領は国民に対して、どうやって説明するのでしょうか。アメリカ人だって、戦争は嫌いですよ。

日本人は勘違いしているのです。アメリカは戦争が好きだと思っているかもしれませんが、実は歴史的に見ても全然好きではないのです。

それでもアメリカは日本を守るかもしれません。しかし、それはアメリカの国益になるからにすぎません。あくまで「アメリカのため」なのです。「日本のため」ではない。つまり、「アメリカが守ってくれる」という考え方では、日本の国が存続するかどうかは、アメリカの国益次第ということになってしまいます。さて、こんな国を独立国だと言えるのでしょうか。自立した国と言えるのですか。とんでもない話です。

不戦主義の二つ目の問題は、敵国に搾取されてしまいかねないということです。何を搾取されるのでしょうか。

例えば竹島。いまだに韓国から返してもらえていません。北方領土も、拉致被害者も同様です。私は慰安婦問題もそうだと思います。慰安婦は昔から、どの戦場にも一定数いました。しかし、「従軍慰安婦」は存在しないのです。日本軍が強制連行したという事実はありません。その嘘が全世界に広まっているのを日本はなぜ止められないのでしょうか。元を正せば、中国と韓国が日本を舐めているからです。

不戦主義者は、何か問題があるとすぐ「外交で解決しましょう」と言いますが、外交がうまく進められるのは力がある国に限られます。抑止力があって初めて、外交は効果を発揮するのです。トランプ大統領が、金正恩に会うことができた理由は、そうしないとアメリカに一発撃ち込まれる可能性が高いと金正恩が判断したからでしょう。日本の首相が金正恩に会おうと思っても、なかなか会ってはくれません。これが日本の現実なのです。

三つ目の問題は、同盟国に「タダ乗りしている」という批判を免れないということです。トランプ大統領はある政治演説で、「日本に何かあったら、アメリカが一方的に助けに行く。それはあまりに不公平だ」という趣旨の発言をしました。アメリカにタダ乗りするのであれば、せめて在日米軍の費用は全部日本が出さなければならないじゃないですかと言ったわけです。アメリカは日本が自立することを望んでいます。

とりあえず、こういった基礎的な事実をベースにして、憲法について話し合っていければと思います。

大学生を交えたパネルディスカッション

ナザレンコ・アンドリー（ウクライナ出身留学生）
木原　祥利（大学生）
神谷　　龍（大学生）

在日ウクライナ人から見た日本の問題点

――ケント先生より、平和主義について様々な話をいただきました。まずは留学生や日本の学生がどのように感じられたのかをお伺いしたいと思います。

アンドリー　貴重なお話を聞かせていただきありがとうございました。ケント先生のお話を伺い、私は日本語が母国語ではないにもかかわらず、今の話がとても腑に落ちました。一方で、日本語を母国語とする日本のリベラルの人たちが、なぜこうした話の意味を正しく理解できていないのかと、とても不思議に思いました。これから先生の話に付け加える形で、日本国憲法に対する私の意見をお話させていただきます。

まず、一外国人として、憲法改正に反対している方々のデモを見たときに、違和感を覚える二つの主張がありました。

一つ目は、「憲法九条は神様からのプレゼント」というもの。二つ目は、「安倍による改憲は許

パネリストの学生達。左からアンドリー氏、木原氏、神谷氏。

さない」という主張です。

　日本には言論の自由があるので、こうした考え方の存在自体は否定しません。しかし、こういった主張は、自称リベラルの人々の民主主義の仕組みへの理解不足を明らかにしているのではないかと思います。というのも、独立した民主主義国家であるならば、憲法は本来誰かから一方的に戴くものではないからです。国民の総意に基づく社会契約によって制定するのが、民主的な近代憲法のはずです。したがって、時の総理の一存では、憲法を変えることはできません。あくまで、国民投票を通じて国民に意思を問う権限があるだけです。ですから、「安倍による改憲」なんてそもそも有り得ないのです。改憲は全て国民によるものです。

　また、今の憲法がかつて国民の民意によって定められたとしても、その民意は約七十年前に生きた人たちの民意であって、現に今生きる人たちの民意であるとは限りません。今の有権者に対して、このような憲法でよいのだろうか、現状にふさわしいのだろうかと改めて聞く必要があると思います。

私は、日本の公平な選挙制度で選ばれた政治家が提案する国民投票実施を妨害する勢力こそが、民主主義を阻害していると解釈しています。国民投票の機会をつくることを許さないということは、「有権者は黙っていろ」と言っているのと同じですから。

ところで、七十年前の憲法の字面にこだわって、議論すら前に進めようとしない政党のどこがリベラルなのでしょうか。彼らのやっていることは、国際情勢が急激に変化している今日においては、完全に時代遅れです。そして、日本を弱体化するために押し付けられた憲法に固執することは、自国の独立を損ねる自殺行為に等しいと思います。

ここで、ラドヤード・キプリングという有名なイギリスの小説家の言葉を紹介します。彼は一八八九（明治二十二）年に日本を訪れ、こういう名言を残しています。

「日本人が必要以上に礼儀正しい理由は、彼らに常に刀を持つ伝統があったからだろう」

無礼を働いたら命を落とす危険がある、となれば、自然と自分の言動に気をつけるようになるという意味かと思います。この名言は一理あると思います。実際、明治時代、国際社会では国家の刀たる軍隊を持っていない国は、礼儀正しく扱われることはありませんでした。

今日の日本に置き換えてみれば、北方領土と竹島は他国に不法占拠されており、北朝鮮に日本人は拉致され、慰安婦問題という詐欺で大金をむしり取られています。どう考えても、隣国と対等な関係が築けているとは言い難い状況です。

また、私の祖国であるウクライナの実例も国軍を持つことの重要性を示しています。

一九九一（平成三）年、ウクライナはソ連から独立した時に百万人の軍隊と核兵器を保有していました。この当時、隣国はウクライナに対して非常に友好的な態度をとり、明確な敵国は存在しませんでした。二〇一三（平成二十五）年まで、外国人観光客向けにウクライナを紹介するチラシでは、こう紹介されていました。

「不安定な旧ソ連の中で、領土問題を抱えたことがなく、戦争どころか、テロ事件さえ一度も起きたことがない、最も平和的な国である」

私は、このチラシを実際にウクライナ大使館で見ました。ところが、ウクライナは隣国ロシアの甘い言葉に騙されて、核兵器を手放しました。核兵器を持つと隣国から恐れられるし、お金がかかるからという理由です。そして、百万人の軍隊を二十万人、つまり五分の一に軍縮しました。「二十一世紀にもなって戦争なんてありえないだろう。防衛費を減らして、福祉にお金をかければよい」と楽観的に考えたのです。

ところが、戦う力を失うと、隣国の態度も次第に変わり、内政干渉は日常茶飯事になりました。その帰結として二〇一四（平成二十六）年、かつては友好を誓い合い、核兵器を手放す代わりにウクライナを守る約束までしていたロシアにクリミア半島を侵略され、領土を奪われ、数万人の犠牲者が出ました。ウクライナ人は、その時にやっと目を覚ましたのです。今まで戦争が起きなかったのは、強い軍隊を持っていたおかげだったのだと。そして、最終的に平和を守るのは、紙切れに過ぎない条約などではなく、国軍なのだと気づいたのです。しかし、今さら理解したところで、既に亡くなられた方々は戻ってきません。

日本人の皆様がウクライナと同じ轍《てつ》を踏みたくないとお思いであるならば、政治家の空想的な言葉に耳を傾けるのではなく、こういった外国の実例にこそ目を向けた方が良いと思います。オウム鳥のように「平和！　平和！」と唱えさえすれば本当に平和になると考えている方がいらっしゃるなら、ぜひとも安全な日本ではなく、ウクライナやシリアに行って平和を訴えてほしいと思います。また、自分が身を挺して積極的に平和を守る覚悟がないとしても、少なくともそういう覚悟で任務に当たっている自衛隊を束縛することだけはやめてほしいと私は思っています。

大学生が考える日本国憲法の非常識

木原　私は普段、大学で法律を学んでいます。ケント先生のお話は大変勉強になりました。私たちは「平和主義」という言葉を誤解しているというお話に共感しました。大学の教壇で憲法学者が教えている「平和主義」というのは、まさに「不戦主義」のことに他なりません。というのも、「たとえどのようなことが自国に降りかかったとしても、私たちは決して戦わない」と考えている憲法学者が多いことを、様々な先生方と大学でお話する中で実感しているからです。

ところで、日本国憲法には三大原則というのがありまして、「基本的人権の尊重」と「国民主権」、そして、「平和主義」が掲げられています。

ケント　それがおかしいんだよ。日本における憲法の教育は間違っているのです。本物の憲法学者は、日本には少ないですね。日本の憲法学者が何を研究しているのかというと、憲法の文言を解釈して説明しているわけです。解釈するのはよいけれど、現実からかけ離れた解釈ばかりしていてもどうしようもありません。

木原　憲法自体を日本が自前でつくったと考えている学生は相変わらず多いのですが、彼らの中には法律家を目指している人も多くいます。しかしながら、教科書を書いている教授の多くは、間違った歴史認識を前提として教科書をつくっているので、その教科書で学んだ人たちも間違った考えを持ち、さらにはその人たちが学者になって、また教科書をつくるという悪循環が続いているように思います。私自身は大学で使用する正式なテキストとはいえ、間違ったこともあるのではないかと考えながら学んでいるのですが、そこまで考えずに、言われることをただ鵜呑みにしている人たちが多いという印象を抱いています。

神谷　私は、大学で学んでいる学生たちは憲法についてどう考えているのだろうかと思い、アンケート調査活動を行ってきました。戦争の反省から、戦後の教育を受けた世代はやみくもに「平和」を唱えてきたわけですが、これは実は定義のはっきりしない、空想的な言葉なのだと気付かされました。「平和主義」とは、戦争がない「結果」のことを指しているだけであり、その「手段」については述べていないというお話に納得致しました。

実際に大学でアンケートをとっていると、「日本国憲法は平和憲法である」と答える学生が多くいました。しかし、そこで思考停止してしまって、いかにして平和を守るのかということを十分に考え切れていないように思います。

私自身、大学で日本国憲法の授業を受講しました。十五回の講義のうち、十一回は人権がテーマとなっています。レジュメにも「憲法論（人権論）」と記されていました。憲法の授業を受けても、国家観や、憲法とはそもそもどうあるべきなのか、ということが浮かび上がってきません。これが現在の日本の大学における憲法教育の一例です。

アンケート活動で、中国人の留学生に出会った時に、自衛隊が憲法に違反しているか否かという議論が日本にあることを伝えると、彼は不思議そうにこう言いました。

「なぜ、国を守るための軍隊が憲法に違反していることになるのですか？」

軍隊が国を守る存在であることは世界の常識です。しかし、この当たり前のことすら認められていない現状こそ、日本国憲法の非常識な部分だと感じた体験でした。

また、「平和主義」と「不戦主義」を混同している学生が多いように思います。「自分が不自由なく生活できればいい、痛みがなければいい」といった、「自分」という視点からしか物事を考えられなくなっているのが、学生の思想状況ではないかと思っています。

ケント　それはつまり、国家の存在自体を否定しているのです。国家なんてものはいらないと考えている。国家とは、生命共同体です。みんなで協力し合うことで維持していく。これが本来の国家の姿です。アメリカでは、ベトナム戦争の時にどうしても戦争に反対だということで、徴兵制度に協力しなかった約十万人の人々がカナダに行きました。さもなければ逮捕されましたから。そこから何年も経って、最終的に当時の大統領が恩赦を出して戻ることができましたけれど。

国に忠誠を尽くすとは

アンドリー　ケント先生のお話をお聞きして、ある意味で「平和主義」は大変都合の良い考え方だと思いました。自分は手を汚さず、他人に責任を押し付けることによって、平和を維持できるのですから。

実は、ウクライナは長年、独立した自分達の国を持てていませんでした。三百年以上もの間、ロシア帝国の一部であり、その前はモンゴル帝国の一部だった時期もあります。そして、つい最近まではソ連の一部だったわけです。ソ連時代は、ウクライナ語による教育は禁じられていました。さらには、自分のことをウクライナ人と名乗ることさえ禁じられた時期もありました。同化政策が進められて、多くの人々が強制収容所に収容されたり、スターリンが犯した人工的な大飢饉（ホロドモール）によって、五百～六百万人もの犠牲者を出す大虐殺も起きました。

ソ連崩壊により独立を果たすと、「二十世紀にもなって、戦争は起こらない」という考えが蔓延します。ヨーロッパでは、第二次世界大戦後、ユーゴスラビア戦争を除いて大きな戦争が起きていなかったからです。それで人々は不戦主義に走ったり、国の大切さを忘れてしまったのではないかと思います。

ケント　「朝まで生テレビ」に出演した時に、ある東大の先生が、「中国は日本を攻撃しない」と断言しました。田原総一朗さんは、「どうしてそういうことが言えるの？」と聞きましたが、彼は「だってしないんだから」と答えました。このように、「中国は攻撃してこない」という意見も確かにありますが、考えてみるともうすでに中国は攻撃してきていると言えます。たとえば、日本各地につくられている孔子学院はスパイ養成所と言っても過言ではありません。実際、アメリカでは、孔子学院は事実上禁止されました。

ところで、日本の法学部では、「国家」についてどのように教わるのですか。

木原　法学部では、「統治」という名称で、国について触れることはありますが、それは、国家権力が暴走するのを防ぐために憲法があるというスタンスです。「国家＝悪」という前提が根強くあるように思います。

ケント　それが日本の教育の一番の問題点だと思います。私の幼稚園時代の話をします。子供たちが絨毯の上に座って歌を歌ったり、自分の家庭で起こったことなどをお話するという時間があるのですが、その時間の最初に行うのは、国旗に向かって左の胸に右手を当てて、忠誠を誓うことでした。これを幼稚園の時からしていました。

その当時、アメリカには四十八州しかありませんでした。つまり、国旗には四十八の星しかなかったのですが、一九五九（昭和三十四）年にハワイとアラスカが新たな州として加わりました。私は、どうやって五十の星を並べるのか、ということに興味を持ちました。結果的には、四十八州より五十州の方がきれいに収まったなという感じがしました。このように、国家の一員であるという自覚を養うことは、教育の大原則なのです。

アンドリー　私はウクライナの高校を卒業しましたが、高校二年生の時に軍事演習がありました。先生は本物の退役軍人でした。軍事演習科目では、具体的な銃の撃ち方だけではなく、国家とはどういうものなのかを学び、国に対する忠誠を誓います。先生にその意味を聞くと、「あなたたちは武器を持っているのだから、誰かに忠誠を誓わなければならない。そうでないとただのテロ集団になってしまう」と答えが返ってきました。

こういう教育を受けた後、今は日本の大学に在学しています。大学では、多文化共生、グローバル化、国際人材などといった言葉を飽きるほど聞いていますが、日本人としての愛国心といった言葉は、一度も聞いたことがありません。ある時の授業で、中国に留学したことのある先生がやってきて、彼は生徒に対してこう語りました。

「平成生まれの皆様に一度でも中国に行って、そこにある戦争博物館を訪れて、日本人がいかにひどいことをしたかを実感してもらいたい。罪悪感を持ちながらでないと、中国とは良い関係を築けません」

平成生まれの人にこう言っているわけです。しかし、「南京大虐殺」ひとつとっても、平成生まれの人にとっては直接関係ないじゃないですか。なぜ彼らは罪悪感を持たなければならないのでしょうか。

ケント　教育が腐り切っているね。教育の問題は根深いです。

神谷　大学生にアンケートをした時に、「もし日本が戦争になった時には、白旗をあげて降伏したらいい」という学生に出会いました。それに対して私は、「祖国を失っても構わないのですか」と聞きました。すると、「確かに祖国は失うことになってしまうけれども、領土が荒らされるとか、銃で撃たれるなどの物理的な被害はないので、それでも構わない」という答えが返ってきました。

また、「日本はスネ夫の様な国になればいい」と答えた別の学生もいました。「ジャイアンに媚びを売るようにして、アメリカや中国に媚びを売って、生き残ればいい」ということでしょうか。

これらの発言は、祖国の価値を教わらなかったことの影響なのだろうかと大変驚きました。また、国防という発想がないのも、国ということの価値、守るべきものを持っていないが故なのだと思いました。学生の答えに、戦後なるものを感じた体験です。

ケント　二千六百年余りもの間、日本という国は独立を守り続けてきました。こんなに素晴らしい文化と歴史、伝統がある国は世界でも類を見ません。それなのに、中国が攻撃してきたら戦わないというのですか。何と言うことか。自分が貴重なものを持っているという意識がないのが残念でなりません。

――「国に忠誠を誓う」ということがピンと来ない、という質問が参加者から寄せられています。

ケント　忠誠という言葉が難しければ、日本人であることに誇りを持つことと言い換えてもいいです。「平和ボケ」という言葉があります。これは、何の努力をしなくても、現在の平和が永遠に続くと勘違いしている人のことを指した言葉です。日本は、国中が平和ボケしている感じがしますね。国は自分がつくる、我々がつくるものであるという意識が大切です。今は、無関心の人が多過ぎる気がします。

アンドリー　国への忠誠というと、政府に対する忠誠と考えがちですが、私は、より簡単にいえば忠誠とは感謝のことであると思います。今、自分が充実した福祉を享受し、こんなに平和的な生活を送れるのは、周りの人や祖先たちのおかげであることを自覚して、報恩に尽くす精神こそが忠誠だと思います。忠誠とは、自分の国が危険に晒されたら、自分の利益だけを追求するのではなく、周りの国の人に対して感謝の気持ちを持って、自分の祖先に対して尊敬の気持ちを持って、この国のために最大限の努力をすることだと考えています。

木原　平和という話につながると思いますが、戦争がいま目に見えて起きていない現状において、日本の多くの人たちは何もしなくても大丈夫だという意識が根底にあり、自分は大丈夫だと思っています。また、日本の歴史や文化に愛着がなかったり、自虐史観に陥ったりして、自分が日本人であるというアイデンティティがないことがセットになっているのが、現状なのだと思います。

ケント　先ほど、日本には二千六百年の歴史があると話しましたが、皮肉なことに今の日本の平和を守っているのは米軍です。ですが、米軍に感謝している人はどれくらいいますか。あまりいないですよね。日本人は本当に身勝手です。沖縄で反米軍基地運動をしている勢力があります。もちろん言論の自由があるから何を言っても構いません。しかし、アメリカが守っていることに対して感謝しろとまでは言わないけど、アメリカに感謝しなくてもいいように日本自身が自立して、米軍がいなくても済むようにすることこそ、彼らが本当に考えるべきなのではないかと思いますね。

国を守る人々への感謝は当然のこと

――国家への無関心は根深い問題です。アメリカを見ていて感心したことがあります。イラク戦争があった時に、イラクで亡くなった兵士の遺体が、アメリカ本国に輸送されてきます。その時に、道に子供達が並んで、アメリカの国旗を持って、戦死者を悼んでいました。国を守るために戦った人たちへの意識は、日本とアメリカではこんなにも違うのかと感じた覚えがあります。アンドリーさんから、「感謝」というキーワードも出ましたが、国を守っている人への感謝がどれだけあるかは、大切なことだと思います。

さて、いま安倍首相が提案している、自衛隊を憲法に明記する改正案について、どう考えたらよいのか。国民が議論し、憲法や国家について考えていくにはどうしたらよいか。皆様のご意見をお伺いできればと思います。

ケント　日本が国家として自立するために何ができるか、それは憲法改正だと思います。自分の国は自分で守るというのが自立の第一歩だと思います。

木原　私も憲法改正は早急に行うべきだと考えています。全体的に変えたいのですが、九条からスタートすべきだと考えます。九条は安全保障と密接に関連する喫緊の課題です。憲法とは国の最高法規ですから、大本の憲法を正さなければ、下位の法律もおかしくなってくると思います。

神谷　日本の憲法は、戦争に敗れた直後の占領期に制定されたものです。「日本国」憲法と言いながらも、本当に日本の憲法なのだろうかといつも疑問に思います。そして、憲法に自衛隊の根拠を明記することは、「国防の任は自衛隊が担い、日本国民はそれを認め、尊重する」という決意を、国民投票において表明することだと思います。自衛隊を明記することは早急に行うべきです。

アンドリー　憲法改正は速やかに行うべきです。日本は二千六百年以上の歴史を誇りますが、国際政治においては大人の国家になれていないと思います。自分のことを自分で決められない状態にあるからです。マッカーサーやＧＨＱに押し付けられた憲法を一度も改正していません。これを改正して初めて、日本は自立した国家になると思います。

どのように改正すべきかについて、本来、外国人の私がとやかく言うべきことではありませんが、あえて私の考えを述べるならば、本来は九条二項を削除すべきだと思います。安倍総理は第三項に自衛隊の根拠規定を追加すると言っていますが、どうしても矛盾があるように思うからです。第二項では戦力を持たないと定めているのに、自衛隊がある。多くの共産党系の方々や憲法学者は、自衛隊は違憲だと言っています。第三項を加えてそこに自衛隊を明記するならば、今言ったような矛盾が残ったままになるのではないかと思います。このあたりの課題を整理した上で、自衛隊を憲法に明記すべきだと思います。

憲法解釈の話についてですが、解釈で乗り切ると何がいけないかというと、与党が変わる度に解釈も変わってしまいかねないことです。私は、国防という国家の存立に関する問題は、解釈に任せてはいけないと考えています。日本では過去に民主党政権ができたことがありましたが、今後、共産党が与党になるようなことがあったとしたら、解釈を変えて自衛隊を解体してしまうこともできてしまいます。こうした危険を防ぐためにも、憲法に明記した方が良いと思っています。

ケント　私も元々は二項削除派なのですが、安倍総理が提案した第三項を加える案には概ね賛成です。二項のはじめに、「前項の目的を達成するために」とあるでしょう。一項は、侵略戦争の禁止を定めています。したがって、侵略戦争のためには持たないけれども、自分たちの国を守るためなら持ってもいいと解釈することができます。

木原　九条二項削除がベストだと思うのですが、ベターな案として今やるべきこととしては自衛隊明記なのではないかと考えます。現時点でも、一応自衛隊は合憲であるという建前があるため、「政府が合憲と解釈している自衛隊を、どうしてわざわざ改憲して明記する必要があるのですか？」と、よく学生からも質問が出てくるところではありますが。

神谷　二項削除については、たしかに正論だと思いますが、一方で、学生の意識状況から考えてみると、現状では無理だと思います。と言うのも、軍事アレルギーが根強くあると感じるからです。九条の改正と言うと、平和主義の否定を連想され、日本は戦争ができる国になるというイメージを抱く方が多くいます。実際にアンケート調査では、「九条改正に賛成か、反対か」という聞き方をすると七割の学生が反対と答えました。

ところが、「自衛隊を憲法に明記する案について賛成か、反対か」と聞き方を変えると、今度は七～八割の学生が賛成してくれたのです。私はこの体験から、将来的に二項削除を目指しつつも、自衛隊明記案が現状においては、多くの国民の理解が及ぶところだと思いますので、自衛隊への感謝を形にするという意味でも、自衛隊を明記するところから一歩ずつ進めるべきだと考えています。

ケント　改憲に関して否定的な人が多いですが、その状況を変えるために、現在、自衛隊に感謝する全国的なキャンペーンがなされています。これはどんどん推進していった方が良いと思います。自衛隊への感謝の心が芽生えれば、やはり明記した方がいいと思うようになるはずです。

私の息子はアラスカに住んでいるのですが、アラスカには日本全体と同じくらいの軍人がいます。私が息子のところに遊びに行った時、アイススケートのショーがあったので見に行ったのですが、入場料が二種類に分かれていました。通常の入場料と、シルバー・軍人のための入場料の二種類です。後者は二十五％安くなっていました。

また、私はユタ州に住んでいますが、そこに「やまと」という和食屋があります。そこは日本人が経営していますが、軍人割引十五％となっていました。こうしたことは世界中で当たり前のように行われていることです。彼らは命を懸けて我々を守ってくれているのだから、軍人に感謝するのは当たり前だ、ということです。しかし、日本では自衛隊員の割引があるといった話は、聞いたことがないですね。

世論が変わりつつある

――最後にパネリストの方から、一言ずつ今回の議論の感想を述べていただきたく思います。

神谷　若い人に対して、どのように憲法を語れば理解してもらえるかを考えています。とにかく今の学生は、「憲法改正」と言っても具体的な改正案を知らない人がほとんどです。それによって、何が変わっていくのか、法学部の学生でさえ知っている人は少ないように思います。自衛隊明記案を具体的に丁寧に説明して初めて、「これが議論になっているんですね」と認識します。

基礎的な認識を持ってもらえると、「自衛隊の違憲状態を解消するためなら賛成です」といった意見が多く出てきます。つまり、まずは何が議論になっているかを周知することが大切だと思います。また、国民投票を行うことは、自衛隊を合憲にするという意味だけではなくて、戦後七十年以上もの間放ったらかしにしてきた国防という国家課題を、初めて国民が我が事として考えていく機会にもなると考えています。現在、自衛隊に違憲の疑いがあると指摘する人も一定数存在します。それを国民としてどうしていくのかを投げかけ、考えていくことが国民投票のもう一つの大事な意味だと思いますので、大学においても議論を興していきたいと思います。

木原　大切なことは、一人一人に関心を持ってもらうということです。極めて当然のことなのですが、それをどうするかは結構頭を悩ませる問題です。国民レベルに議論を引き下げることで、自分と関係があることとして認識してもらわなければなりません。憲法は、学者や政治家だけが考えるものという考えを改める必要があります。

憲法改正すべきという考え方に立っている多くの人たちは、議論のハードルを下げることを嫌う風潮があるようにも感じますが、国民投票を見据えて、議論のハードルを下げることを理解してもらい、世論形成の輪を広げていくことが大切だと思います。

アンドリー　憲法改正の是非を問う国民投票に関するアンケートでは、「わからない」「どちらでもない」という回答が最も多かったです。これは、民主主義国家としては一番ダメな回答だと思います。世界の多くの国の人々は、選挙権を得るために血を流して、自分の命まで犠牲にしてきました。こうした歴史の上に、今日ここにいる人たちはみな参政権を等しく持っているわけです。この国の未来を自分で決めるという権利を持っているのに、自らそれを放棄するということは、最悪です。改憲に賛成であろうが、反対であろうが、国の未来を考える習慣をつけて、議論に取り組んでいただきたいと思います。

ケント　私たちはまず、マスコミが無視できない存在になるくらい、一所懸命活動する必要があると思います。主な発信の舞台はインターネット上になるかと思います。

私は憲法についての本も執筆していますが、一方で教育制度や愛国心をテーマとした書籍も多数出しております。私なりにできることは何でも一所懸命やっています。講演会もやるし、ネットでも発信するし、討論番組にも出ますし、このようなイベントにも積極的に参加しています。教会のように信者だけでやっていればいいという話ではないので、こういう場に来る人がもっと発信活動を行い、イベントにはお友達を連れてくることが大切だと思います。

あらゆる方法で、我々は今後、情報戦を繰り広げる必要があります。なかなか憲法改正できない理由は二つあります。一つはマスコミが反対することをみんなが恐れているからです。もう一つは自民党です。自民党の議員が国民を信用していない。国民が正しい判断をすることを信じていないのではないでしょうか。でも、それではだめです。国会議員の先生方には、自分の選挙区の中で毎日のように勉強会を開くくらいじゃないとだめだ、と伝えています。

私は憲法改正が不可能だとは少しも思っていません。必ずできると思います。皆さんも一緒に頑張りましょう。

第2章

世界から見た日本国憲法と自衛隊

元海将　伊藤　俊幸

歴史学者　ジェイソン・モーガン

第２回 TOKYO 憲法トークライブ
（平成 31 年３月 21 日）

世界から見た日本国憲法と自衛隊

伊藤　俊幸（元海将）
ジェイソン・モーガン（歴史学者）

憲法の語源から見た日本国憲法

――まず、両先生より今回のテーマを深めていくための、基調提言を頂きたく存じます。

モーガン　私は基本スタンスとして、日本国憲法に書かれている個々の条文よりは、「この憲法はどこから来ているのか」「どういう流れでできているのか」といった、より大きな目で憲法を見てみたいと思っています。

歴史家の間では、かつて今のドイツ・オーストリアなどにまたがっていた神聖ローマ帝国を称して、「神聖でもないし、ローマでもないし、帝国でもなかった」と表現するジョークがあります。これは、西ローマ帝国の継承国であると称したものの、内実を伴わない集団だったことを揶揄《やゆ》しています。私は、これになぞらえて、日本国憲法は、「日本人が書いたわけではないし、日本という国を成り立たせないし、憲法でもない」と思っております。

そもそも憲法とは、どのような役割を帯びたものでしょうか。もちろん言うまでもなく、憲法は国の基本法です。しかし、語源を探ってみれば、より大きな役割を果たさなければならないものだと思います。

「憲」は、辞書を引くと、「正義をもって、証拠に基づいて裁判をするところ」と出てきます。英語で「憲法」を意味する「constitution」はより大きな意味を持った語です。

「st」には、「立つ」という意味もあります。「stand＝立たせる」「establish＝創立させる」「existence＝存在」。どの単語も根本的な意味を持ったものばかりです。パキスタン、アフガニスタンなどの国名に出てくる「stan」もこの意味と関連しています。つまり、「ここに、この民族が立っている」ということを意味しているのです。他にも、「statue＝像」「statute＝法律」などたくさんあります。いずれも「立たせる」という意味が込められている。同様に、「constitution」は、国を成り立たせるものということになります。

しかし、日本の憲法はどうでしょうか。七十年前、私の祖国アメリカが日本を戦争で破り、二度と立ち上がれないように憲法をつくりました。アメリカが戦いの延長線上でつくった、いわば戦争のプロパガンダにすぎないと私は思います。日本人が自らつくったわけではないのです。

あえて言ってみれば、日本国憲法は憲法の本来の意味の逆の意味を持っています。なぜなら、日本国憲法は、国を成り立たせるどころか、国を伏せさせるためにあるからです。自己矛盾です。私は元々アメリカに正義があると思っていました。しかし、日本に来て研究活動を始めるにつれて、考え方が変わってきました。

私は今、祖国アメリカが日本にひどいことをやったと思っています。戦後、あの戦争は日本のせいだったと思わせるために、アメリカはＷＧＩＰ（戦犯裁判広報計画）を占領下の日本に対して実行しました。

私は教え子の大学生と話し、日本だけが悪かったと信じている者がほとんどであることを知るにつけ、この計画は成功したんだなと実感します。しかし、実際には、例えば原爆投下が明らかな戦争犯罪であったように、日本もアメリカもお互い様でした。アメリカが負けていたら、逆にワシントン裁判でアメリカが裁かれていたでしょう。

戦後、日本にマッカーサー将軍が来日し、日本人が二度と戦争ができないようにしていったわけですが、当時の日本人は、占領軍を批判することができませんでした。この占領政策の存在そのものについても話してはいけなかった。江藤淳先生がかつて仰った「閉ざされた言語空間」があったわけです。

こうした歴史を振り返っていくと、憲法の個々の条文が間違いという以前に、日本人の一般的な考え方、歴史の見方こそが問題なのだと思います。それさえ是正されれば、憲法改正は容易にできるはずだと思います。

外国人から見ると、日本国憲法はとても不思議な憲法です。そもそも英語で書かれたものを翻訳したために、日本人が読めばギクシャクした表現になっています。そんな日本国憲法をなぜ未だに使っているのか、外国人の立場から不思議に思います。もし、アメリカ憲法がフランス語で書かれていたならば、アメリカ人は猛反発するはずだからです。そして、いかなる国も、自分の国は自分で守らなければなりませんが、日本国憲法を素直に読むとそのことを否定するような内容になっています。

アメリカのカリフォルニア沖にサンタ・カタリナ島という島があります。もし、メキシコがこの島は自分の領土だと主張して侵攻してきたとします。それがどこまで続くと思いますか。恐らくメキシコが行動を起こした五分後には戦争が勃発していると思います。そして、十五分後にはメキシコが負けて、アメリカが勝つはずです。翻って、日本は領土を守るために果たして戦うことができるのでしょうか。今の竹島、北方領土、尖閣諸島などをご覧下さい。いつまで隣国からの屈辱に堪えなければならないのでしょうか。

日本の安全保障は日米同盟が大前提となっていますが、アメリカもいま大変な危機に直面しています。アメリカがこれから先も盤石であるという保証はありません。

日本の憲法はどうあるべきか、日本人自らが我が事として考えるべき時が、今まさに来ていると思います。

「事態対処法」で、日本は国を守るために戦える国になった

伊藤　皆さんは、二〇〇三（平成十五）年に「事態対処法」という法律がつくられたことをご存じですか。これは「有事関連三法」とも言われますが、この法律で日本は自国を守るために戦える国になっています。

しかし、これを多くの国民は知らない。なぜならば、二〇一五（平成二十七）年の平和安全法制の時のような与野党の全面衝突にはならず、マスコミもさほど掻き立てなかったからです。国会前で「戦争やめろ」と騒いでいたデモは、本来なら二〇〇三年にやっていなければおかしかっ

たのです。

まず、未だに「宣戦布告さえすれば戦争ができる」と思っておられないでしょうか。七十年前、不戦条約はありましたが、布告さえすれば戦争ができたため、第二次世界大戦が起こりました。日本も真珠湾攻撃で奇襲をかけました。しかし直前には宣戦布告をしています。手違いで布告が届いておらず、だまし討ちなどと言われていますが。

ところが、今や「宣戦布告」という用語は世界中どこでも使われません。現代の戦争は、中東のようにほとんどが内戦から始まっています。もう一つは、国連憲章四十二条「武力制裁決議」に基づく戦いが認められているのみです。

憲法について、九条二項「前項の目的を達するため」という文言を加えた芦田修正があります。これは米中ソを含む極東委員会の許可を経てできたものです。将来、日本に自衛軍ができるかもしれないとわかりながら、シビリアンコントロールを明記することを条件に、国際社会は芦田修正を認めました。こうして憲法六十六条二項（文民条項）ができました。「内閣総理大臣その他の国務大臣は、文民でなければならない」と書かれています。これは芦田修正とのバーターで設けられた条項です。だから本来は自衛軍を持っていいわけです。

しかし、当時の吉田茂首相の判断で芦田修正を採用せず、戦力は持たないと憲法解釈する一方で、自衛権は否定していないということを憲法九条第一項から読み込みました。

またその一方で、憲法十三条「すべて国民は、個人として尊重される。生命、自由及び幸福追求に対する国民の権利については、公共の福祉に反しない限り、立法その他の国政の上で、最大

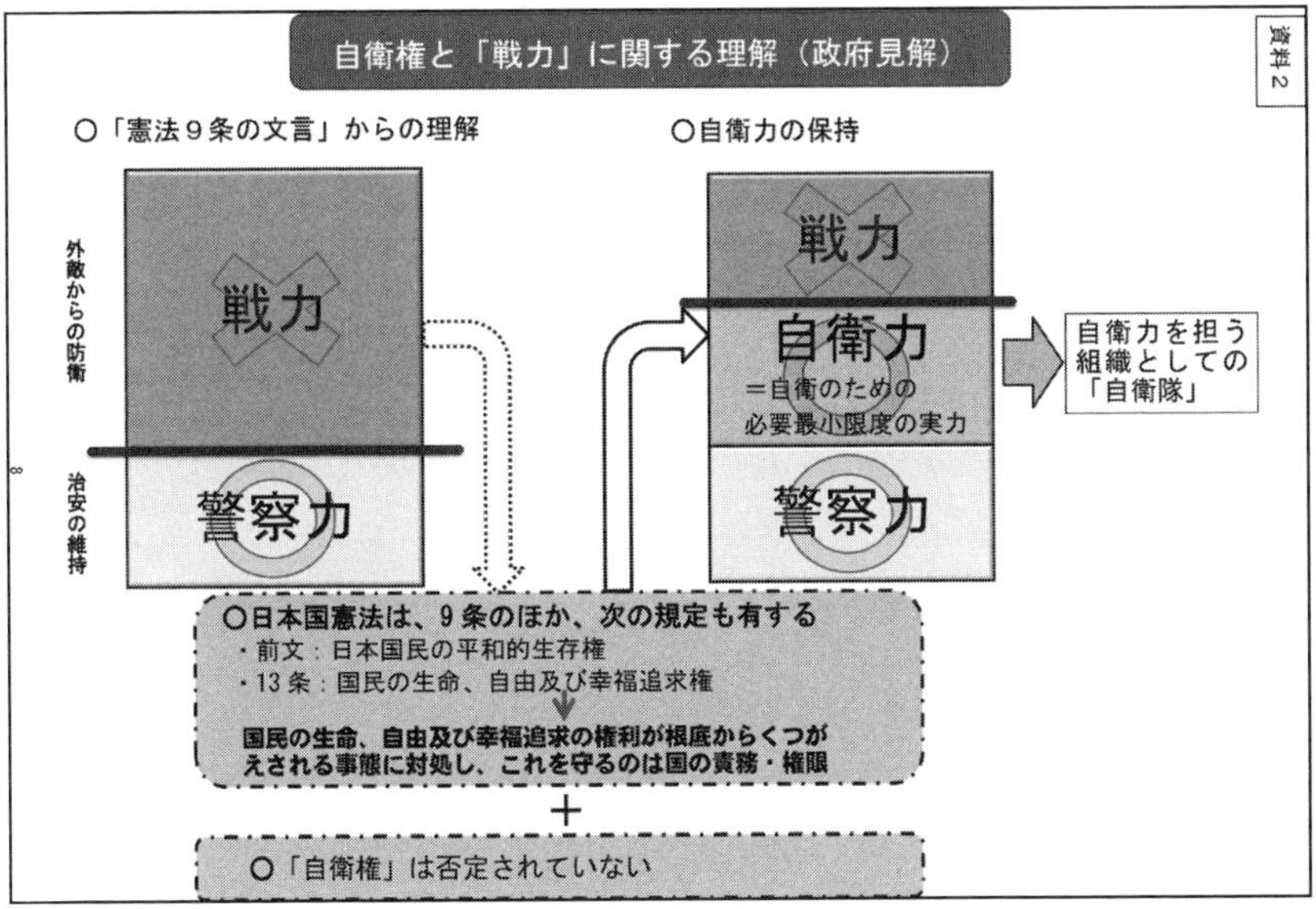

自衛権と「戦力」に関する政府見解（出典：衆議院憲法審査会 HP 衆憲資第 101 号）

の尊重を必要とする」とあるとおり、国家権力たるものは国民の生命、幸福を追求する権利を守らなければなりません。戦力保持は否定するが、自衛権は認める「警察以上戦力未満」の自衛隊という存在がここから生まれたのです。

ところで、ここで言う「戦力」とは「近代戦争を戦える能力」と説明されてきました。ところが、今の自衛隊は十分近代戦争を戦うことができます。事実、私が艦長として参加した一九九八（平成十）年のリムパック（環太平洋合同演習）で、米軍の敵艦役として木っ端みじんにされるはずだった海自潜水艦は、たった一艦で強襲揚陸艦部隊全艦など十五隻を撃沈しました。専守防衛とはいえ、攻撃してくる相手を叩かなければならないわけですから、近代戦争を戦える実力を持つのは当然です。したがって、自衛隊は戦力ではなく、「自衛のための必要最小限の実力」という存在と定義されたのです。

　では、この必要最小限度を超える武器とは何かというと、「性能上専ら相手国の国土の壊滅的破壊のためにのみ用いられるいわゆる攻撃的兵器の保有」であると国会答弁されており、つまり「核兵器を保有しない」ということだけなのです。この状態を「警察力以上、戦力未満」としてきたのです。これは吉田茂以来、政権与党が守ってきた基本的な考え方です。

　私は、「日本はアメリカに守ってもらっている」ということを軽々しく口にする人に直面すると、怒りを感じます。今日、日本を守っているのは他ならぬ自衛隊なのですから。二〇一五（平成二十七）年に発表された日米ガイドラインを是非お読みください。そこには、日本有事に際しては、まず第一義的に自衛隊が戦う。次いでアメリカ軍はそれに対する支援と補完を行う、と書いてあります。

　このように現行法で、有事の時にどのようにわが国を守るかが全て定められています。平和安全法制ではこれらに加えて、グレーゾーンの際、国際社会に対して日本は何ができるのかということが定められました。

　また、「集団的自衛権」という用語を振り翳《かざ》している国は日本だけです。事実、平和安全法制の議論の際、外国の特派員は「コレクティブ・ディフェンス」という単語がよくわからなかったと言います。

　国連憲章四十二条に集団安全保障（コレクティブ・セキュリティ）について定められています。では、やられるまでの間、やられっぱなしなのかと言えば、そうではありません。先の二つの戦争は、自衛権の名の下に大戦争になってしまったので、国連憲章は自衛権の否定から始まりました。しかし、それでもやはり必要ということで、五十一条で自衛権について定められます。

【第四十二条〔軍事的措置〕】　安全保障理事会は、第四十一条に定める措置では不十分であろうと認め、又は不十分なことが判明したと認めるときは、国際の平和及び安全の維持又は回復に必要な空軍、海軍又は陸軍の行動をとることができる。この行動は、国際連合加盟国の空軍、海軍又は陸軍による示威、封鎖その他の行動を含むことができる。（〔〕内は著者付記）

【五十一条〔自衛権〕】　この憲章のいかなる規定も、国際連合加盟国に対して武力攻撃が発生した場合には、安全保障理事会が国際の平和及び安全の維持に必要な措置をとるまでの間、個別的又は集団的自衛の固有の権利を害するものではない。この自衛権の行使に当って加盟国がとった措置は、直ちに安全保障理事会に報告しなければならない。また、この措置は、安全保障理事会が国際の平和及び安全の維持又は回復のために必要と認める行動をいつでもとるこの憲章に基く権能及び責任に対しては、いかなる影響も及ぼすものではない。（〔〕内は著者付記）

この条文には二つの条件がありました。

「自衛権行使の報告」と「国連の四十二条発動までの間に許される権利」という条件付きで自衛権は行使してよいとされたのです。つまり、個別もしくは集団で自衛する権利を妨げるものではないということです。しかし、仲間を守るのは当たり前だというのが国際常識です。外国特派員が、集団的自衛権という英単語を知らなかったように、国連憲章五十一条には個別と集団を区別した記述がありますが、現在の国際社会の常識は、「自衛権（セルフ・ディフェンス）」という英単語だけで、仲間を守ることも当然のこととして解釈されているのです。

平和安全法制によって認められた一部の限定的な集団的自衛権の行使とは、日本防衛のため活動中の海上自衛隊艦艇が、ともに従事する米海軍艦艇を守れる、この当たり前のことができるようになっただけなのです。

現在の日本の防衛政策でも、日本の公海及びその上空では敵を排除できる。これこそが皆さんのイメージする「国を守る」ということではないでしょうか。

それとも、皆さんは、他国の領域に乗り込んで戦っていた大戦時に戻ることを望まれますか。望まれないでしょう。すでに自国を守るために自衛隊が存在し、国際的な地位も確立されています。そして、国を守るための訓練を日夜行っているのです。

有事関連三法によって事態対処法という法律ができました。そこに「武力攻撃事態」という言葉があります。一つは皆さんのイメージする武力攻撃が発生した状態を指します。

もう一つは、武力攻撃が発生する明白な危険が切迫していると認められている状態のこと。この場合、日本はまだやられていません。総理官邸が「これは武力攻撃事態だ」と認定したら、海上自衛隊、航空自衛隊は公海上に出て、攻撃を仕掛けてきた相手を撃退します。これが定められたのが、二〇〇三（平成十五）年の事態対処法です。以来十五年、そのための訓練を続けてきました。

そして、平和安全法制ではさらに、隣にいるアメリカの軍艦を守れるようになったというだけです。その前からとっくに戦えるのです。

日本に危機が起きた時に官邸がやることは何かと言えば、「これは一体何事態なのか」という事態認定行為なのです。この一連の流れが象徴的に描かれているのが、映画「シン・ゴジラ」の最初のドタバタシーンなのです。ゴジラが来襲して官邸が大騒ぎになります。そして、「これは一体何事態なのだろうか」と議論しています。あのシーンがまさに事態認定行為なのです。そして認定さえされれば、どこの省庁が動かなければならないかは自動的に決まります。

こうした現実が国民に十分理解されていないのが現状です。これまで我が国が積み重ねてきた議論を理解した先に、自衛隊を明記することの意義も出てくるのだと思います。

シビリアンコントロールとは何か

――現状の有事法制や自衛隊法は、ポジティブリスト方式になっているため、自衛隊は満足に戦えないと聞きましたが、本当ですか。

伊藤　防衛省設置法という法律があります。この法律には、防衛省にどのような権限が与えられているのかが規定されています。逆に言えば、そこに書かれていないことはできないということになります。これがポジティブリストです。

本来、軍事組織は、「〇〇はやってはいけないが、それ以外はやってよろしい」と書いていないと、いざという時にどう判断していいのかがわからない。これがネガティブリストです。しかし、残念ながら警察予備隊から始まった自衛隊は、警察官同様、ポジティブリストの法律になっています。

しかし、そのことと、戦えるかどうかという話は別問題です。防衛出動が発動された場合、あくまでポジティブリストの中であるとはいえ、ウェポンズ・フリーの状態です。大事なのはROE（Rules of Engagement＝武力行使規定）というものです。これによって、自衛隊の武器使用基準が定められます。

例えば、敵の飛行機を撃ち返すときに、様々な選択肢が考えられます。「レーダーで敵を探知したら撃ってよい」をA、「相手がレーダーをかいくぐってきたら撃ってよい」をB、「相手の火器管制レーダーが向けられたら撃ってよい」をCとする……などです。

つまり、いくら防衛出動が下令されたとしても、戦線を拡大したくないと総理が判断し、「今回は相手に撃たれるまで撃ち返すな」と号令をかけたら、自衛官は敵を撃ってはいけないのです。これがシビリアンコントロール（文民統制）なのです。自衛隊がどう行動すべきか、政治が決めるのです。防衛出動が発令されてもROEによって縛られているのが自衛隊です。

この構造さえわかっていれば、すぐに「自衛隊はいざという時に戦えない」と決めつけるのではなく、皆さんの意思の通りに自衛隊は動くとも考えられるのです。つまり、皆さんがしっかりしないと軍隊は暴走する可能性がある。昭和の日本では、陸海軍大臣は選挙で選ばれていない軍人の中から選ばれていました。しかし、今の日本では、防衛大臣は文民でなければいけないと憲法で規定されています。
だからこそ、皆さんがしっかりと国の仕組みを理解し、自衛隊をコントロールする意識を持つことが大切です。

中国の脅威

――近年覇権主義を剥き出しにしつつある中国の脅威をどのように捉えたらよいのでしょうか。

モーガン　中国は、一九九一（平成三）年に勃発した第一次湾岸戦争について、徹底的に分析しました。その結果、直接米軍と戦えば負ける、という結論に達しました。この分析を踏まえ、当面は軍事戦争をしないという選択肢を選びました。

そして、その代わりに情報戦をすることにしました。情報戦は現代戦争の大事な要素の一つになっています。私はかつて中国に滞在したことがありますが、現地のテレビを見ると本当にビックリします。日本を徹底的に敵視した番組が流れており、いわば日本に対するプロパガンダばかりやっています。中国は日本に対してだけでなく、アメリカにも情報戦を仕掛けています。

中国は敵視する国の社会を分断する狙いを持っています。アメリカでは黒人排斥問題が取り沙汰されましたが、問題の火種は中国人が仕掛けています。

私は大学の授業の中で、「いざという時、国のために戦いますか」と聞きます。ほとんどの男子学生は「戦わない」と答えます。自衛隊員は、いつでも戦う覚悟で準備していると思いますが、日本にしてもアメリカにしても、平和ボケに陥っていて、軍隊に任せきりになっているように思います。

中国国内で、共産党はあまり人気がありません。党の支配を継続させるためには、「台湾を取り戻す」「南シナ海に領土を拡張する」などのスローガンを掲げて、外に目を転じさせる必要があります。その一角には情報戦があります。

伊藤　中国軍の教科書には、「三戦」という言葉が出て来ます。世論戦、法律戦、心理戦の三つを総称した用語です。どのようにメディアを使って相手にダメージを与えるか、通信網をどう使うか、法律をどう変えるべきか……。このようなことを日夜真剣に考えているのが中国という国です。

今の中国は、国連海洋法条約に勝手な解釈を施して国内法をつくっています。尖閣諸島が中国領土であるという彼らの主張は、既に中国の国内法で勝手に決められています。法律に定めておけば、エリートであればあるほど、信じ切ってしまうのです。現在、海上保安庁、海上自衛隊が、中国の軍艦とにらみ合いを続けています。もし、あの厳しいやりとりがなくなってしまえば、簡単に島を乗っ取られます。中国は自分の島だと言っているわけですから。これから先、尖閣をめぐって小競り合いが起こり、それが戦闘に発展することは十分あり得る話です。

また、中国国内には、台湾の空港や主要都市の実物大模型があります。これを使用して、空襲するための訓練を頻繁に行っています。つまり、台湾侵攻の際、どのように戦うのか、占領するのかということについては、既に三十年来考えてきているのです。

憲法改正の意義

――憲法九条に自衛隊を明記する改正案について、どのようにお考えですか？

伊藤　現行の日本国憲法には、自衛隊について何ら規定されていません。もし、憲法に自衛隊が明記されれば、教育で教えなければならなくなります。

一九九九（平成十一）年に「国旗・国歌法」が制定されました。この法律ができる前までは、国歌斉唱中に平気で後ろを見ていたり、座っている先生がいました。しかし、今は教えねばなりません。自衛隊についても同様のことが言えます。教育が変わることの意義は大変大きいと思います。

もう一つは、自衛隊の地位の問題です。自衛官は宣誓をします。その中の一節には次のようにあります。

「事に臨んでは危険を顧みず、身をもつて責務の完遂に務め、もつて国民の負託にこたえることを誓います」

これは、一言で言えば「国家に命を捧げる」ことを宣誓しているのです。自衛隊は、警察や消防と大きく違います。と言いますのも、警察や消防では、本当に隊員が危険な状況にあれば、上司は部下の命を守らなければなりません。「危ないから下がれ」という命令を下します。しかし、自衛隊の場合は、「それでも突っ込め」と命令しなければなりません。これが軍事組織というものです。

今の自衛隊もそれを宣誓しているのです。しかしながら、国に命を捧げる宣誓をしている人間に対して、国として何も保証していないのです。各国の軍隊は、軍人恩給という制度によって、死ぬまで面倒を見てもらえます。また、軍人である旦那が亡くなれば、その奥さんに遺族年金が支払われます。実際、海外の軍人にリタイアしたらどうするか聞くと、再就職をどうするかではなく、余生をどう楽しむかという返事が返ってきます。普通は国が丸々面倒を見るのです。

ところが、自衛隊の場合は、大抵の場合、再就職しなければ生きていけない上に、再就職したらしたで「天下り」と非難される始末です。自衛隊は一行政組織ですから、他の特別職、国家公務員と横並びの存在です。もし、今後自衛隊の存在が憲法に明記されれば、これまでとは別の存在になるのです。

ところで、どの国の憲法にも自国が平和国家だと書かれています。日本だけ、九条だけではないのです。

一方で、各国憲法には、平和が破れたときの処置も書かれています。平和国家を目指すことと、国をどう守るかを明記することは一対の関係なのです。国の基本方針として、平和な国家であると同時に、平和が破れたときにはきちっと抵抗します、と書かれている。これが当たり前の憲法の形です。

また、これは少し専門的な話になりますが、今の日本には軍事司法がありません。これも考え直さなければならない大きなテーマです。

自衛隊の活動にＰＫＯ（国連平和維持活動）があります。もし、派遣先で誤って戦争犯罪を犯したとします。この時、罪を犯した隊員をどのように裁くと思いますか。国連の活動だから、国連で裁くと考える人もいるかもしれませんが、国連には軍法会議がありません。各国の軍事司法で裁く決まりになっているのです。ところが、日本には軍法会議がありません。ということは、一般法で裁くことになります。仮に、過失で殺人を犯した場合、一般犯罪と同じく刑法によって裁かれることになってしまいます。ごまかしもいいところです。このように、現行憲法に自衛隊が明記されていないことで様々な課題を抱えています。

以上の理由から、私は自衛隊明記は絶対に必要だと考えます。

モーガン　憲法を改正すれば、戦争になるんじゃないかということを口にする人がいます。しかし、私はそうはならないと思います。それどころか、今の日本の状態を放置しておく方が戦争を招きかねないと思います。日本には、周りの国の動向を見なくてもいいと高をくくって平和ボケしている人が多く、この意識を変えていく必要があると思います。

自衛隊を明記することは、この国を守っている組織を認めて、国民の意識を高めることに繋がるのではないかと思います。国民の意識が高まれば、戦争の可能性は逆に低くなるはずだと思います。国民が政治の動向に注目し、政治家や周辺国が一体何をやっているのかを見破るよう努力することが戦争の可能性を低くするのではないかと。

近年はアメリカにも変化が見られており、これまでのように日米同盟を守っていれば平和が保てるとは言えなくなっていると思います。米軍基地にいる軍人の多くは、日本について十分に理解していないと思います。アメリカ人から見た日本へのイメージはと言えば、文化のイメージが多いです。

そして、自らの信条として、日本国を守りたいと思っているアメリカ人に会ったことがありません。自分の国を自分で守るのは当然のことです。もし日本人が、米軍が守ってくれることを前提にしているのであれば、それは大きな間違いです。

アメリカは巨額の国債を抱え、倒産寸前でお金がありません。コストのかかる米軍基地が永遠に続くわけでもないかもしれません。近いうちに国家としてのアメリカが倒産する、基地を全て閉める、内戦が勃発して基地を維持する余裕がなくなる、そんな可能性も十分あると思います。私はアメリカ南部出身です。南部の人々は政府に依存しないという気概を持っています。

アメリカが日本に対して、グッドラックと言い残して去って行くこともあり得ます。連邦政府を最初から頼りにしている日本人には、ちょっと待ってよと言いたいです。アメリカと日本は同盟国ですが、国自体が違います。アメリカは帝国です。戦争をビジネスとしている人も一定数存在します。しかし、日本は帝国ではありません。戦争に巻き込まれるか否かという話で言えば、アメリカの方がその可能性ははるかに高いです。

日本にとって、尖閣や竹島は目の前にある自国の領土です。それを守るかどうか判断するときには、日本の利益だけが判断材料となります。アメリカがそれを助けるかどうかを判断する場合、ビジネスの要素が多少なりとも入ってきます。

近年、アメリカという国が激変しています。七十年前はおろか十年前ともまるで違います。軍事はしっかりしていますが、様々な思想が入り乱れ、国民意識が変わってきています。尖閣や沖縄で戦争が起きたら自衛隊が戦い、アメリカはそれを支援する形になります。場合によっては、支援しないこともあるかもしれません。そうした厳しい現実を大前提として、憲法改正を含めて日本のあり方を考えるべきだと思います。

第3章

日本の危機に自衛隊トップはどう決断したのか

第五代統合幕僚長　**河野　克俊**

第3回 TOKYO 憲法トークライブ
（令和2年12月6日）

日本の危機に自衛隊トップはどう決断したのか

河野　克俊（第五代統合幕僚長）

能登半島沖不審船事案

私は統合幕僚長を四年半務め、昨年（平成三十一年）四月に退官しました。今年九月に出版した『統合幕僚長――我がリーダーの心得』は、基本的に私の自叙伝になっています。

私が防衛大学校に入った当時を振り返ると、自衛隊を巡る環境は非常に厳しい時代でした。その根本をたどると憲法の問題があります。自衛隊は憲法の軛《くびき》をずっと引きずってきて、今も引きずっています。

統合幕僚長
我がリーダーの心得
Kawano Katsutoshi
河野克俊
前統合幕僚長
PKO、東日本大震災、北朝鮮ミサイル、尖閣
日本の危機に自衛隊トップは
その時、どう決断したのか。
自衛隊46年、
統合幕僚長4年6カ月の
自衛官人生、
今そのすべてを語る。
『統合幕僚長 我がリーダーの心得』（ワック）

一方で、私が退官する時には、さまざまなオペレーションによって自衛官の顔が国民に見え出し、国民と自衛隊との距離が近くなり、九十%以上の国民が自衛隊に対してよい感情を持っている、という環境になっていました。

私は防大を含めて自衛隊に四十六年間いまし

たが、その両方の時代を経験しました。そういう意味で、自分史がそのまま自衛隊史になります。なおかつ、これは自分でも驚いていることですが、自衛隊が大きな節目を迎える事件、事故に、何らかの形でほとんど関与しています。

今日は、自衛隊は日本の危機にどう立ち向かったかというテーマで、何点かお話したいと思います。

まず、一九九九（平成十一）年に起きた能登半島沖不審船事案についてです。当時、北朝鮮の工作船らしき不審船が日本海にいるということで、海上保安庁が出動していたわけですが、海上自衛隊も協力する形で一緒に行動しました。それで丸二日間ほど追いまわして、北朝鮮の工作船が突然停止しました。

海上保安庁の巡視船は速力が遅いので、北朝鮮の工作船にずっと付いていったのは海上自衛隊の護衛艦でした。ですから、工作船が停止した時に対応できるのは自衛隊だけという状況でした。当時は小渕内閣でしたが、夜中の十二時半過ぎに海上警備行動が発令されました。私は自衛隊に入って、海上警備行動という法的な枠組があることは知っていましたが、恥ずかしながら実際に発令されるとは思ってもいませんでした。

海上警備行動は、海上保安庁が対応できない時は海上自衛隊がその代わりをしなさいというものですが、海上警備行動が発令されても、武器の使用権原は海上保安庁と一緒なのです。本来はこれ自体がおかしい。海上保安庁では対応できないから、それ以上の武力を持っている海上自衛隊が対応しなさい、というのならわかりますが。

海上警備行動が発令されて、工作船の立入検査をやらなければいけないということになりました。ところが、工作船なので、当然向こうは機関銃や自動小銃などで武装しています。その中に乗り込んでいくわけですが、当時の海上自衛隊はそういうことを全く想定していませんでした。防弾チョッキさえなく、防弾チョッキの代わりにマンガ雑誌を腹の中に入れて突入しようとしました。マンガ雑誌など役に立ちませんが、そうするしかなかったのです。

この時に、一つのエピソードがあります。立入検査隊は、ボートを操縦する人、エンジンを担当する人、銃を持って中に入る人、手旗信号で指示を出す人と、それぞれ配置を決めているのですが、その中の手旗要員が、高校を卒業したばかりの若い隊員でした。ところが、真夜中ですから、手旗で指示を出しても見えないわけです。それでその若い隊員は航海長に「私は行く必要があるのでしょうか」と尋ねたそうです。航海長は「しかし部署で決まっているからなぁ」と言いました。そうしたら若い隊員は何と言ったと思いますか?　「それはそうですよね」と言って乗艇していったそうです。

これこそが自衛官の良心なのです。疑問を持って一応伝えてみるけれど、しかし部署で決まっているから「それはそうですよね」なのです。彼は小・中・高と特殊な訓練を受けてきたわけではありません。皆さんが育ってきた環境と同じです。しかし自衛隊に入って、自衛隊とは何かということを彼なりに考えたのでしょう。私はこれを聞いて、自衛隊の教育は間違っていないと思いました。

結果として、立入検査を行う前に、北朝鮮の工作船はエンジンをふかして北に逃走しました。

ですから、結果として立入検査隊は乗り込まなかったのですが、また工作船を追跡しました。その時の海上自衛隊の武器使用は、船体に命中させてはいけないというものでしたから、工作船の進行する前方にドーンと大砲の弾で水柱をあげて驚かせて止めるか、航空機で対潜爆弾を前に落として威嚇するしかありません。北朝鮮はそれを百も承知で、日本が当ててくるわけがないと思っていますから、見事にかわし、結局は取り逃がしたのです。

今は海上保安庁法も変わって、船体射撃もできるようになりましたが、このように武器使用を抑えている法律体系の根本は憲法にあるのです。

東日本大震災における原発対応

次は、二〇一一（平成二十三）年三月十一日に発災した東日本大震災についてですが、当時、十数万人に上る自衛隊が陸海空合わせた統合任務部隊をつくって、救助活動にあたりました。今まで見たことがないような津波が押し寄せて、本当にひどい光景でした。それで必死になって人命救助にあたったわけですが、これにプラスされたのが原発事故でした。

原発に津波がかぶって電源が落ちました。電源が落ちると、原子炉の冷却装置が動かなくなってしまいます。メインの発電機が壊れたとしても、非常発電機さえ作動していれば問題なかったのですが、非常発電機までやられてしまった。これが福島原発事故の原因です。

自衛隊は原子力発電所の事故への対応ということは、それまでミッションも与えられていなければ、訓練もしたことがありませんでした。除染のお手伝いをすることは想定されていましたが、原発そのものを抑え込むような訓練など全くやったことがありませんでした。二日経ち、三日経ち――。私は当時統合幕僚副長で統合幕僚長の補佐をしていましたが、当時の折木統合幕僚長に、米軍トップのマレン統合参謀本部議長から電話がかかってきて、「お前たちは何やっているんだ。こういう危機の時に命を張って行動するのが自衛隊ではないのか」と言ってきました。もちろんこのような言い方ではありませんが、内容的にはそういうことです。

我々自衛隊は、成り立ちから言うと警察の延長線上で、法律的に明文の規定がない任務は行えません。このような法律体系を「ポジティブリスト」と言います。ところが、他の国の軍隊は「ネガティブリスト」といって、「やってはいけないこと以外はやっていい」という考え方なのです。アメリカ軍やイギリス軍等は「ここと ここはやってはいけない、あとはゴー」ということで、シンプルです。しかし自衛隊は、「やっていいこと」をどんどん積み重ねていく法体系になっていて、現場の自衛官には相当負担になります。

当時は民主党政権でしたが、政府から命令を受けなければ我々は動くことができません。政府は当時「まだ大丈夫」と国民に説明していましたが、米軍はメルトダウンしていると判定していました。在日米軍だって家族がいるわけですから、他人事ではないわけです。それで「自衛隊が原子炉を冷やせ」となったわけですが、そう言われても我々としてはどうしたらいいかわからない。

それで、施設内は放射能が溢れていて入れないので、上空から行うしかないということで、ヘリコプター部隊に決死のミッションを与えて、飛んでもらいました。それが三月十六日でした。

決死隊を募ったわけではなく通常のクルーで飛んでもらいました。しかし、上空の放射能のレベルが高くてとてもできないということで、やむを得ず引き返しました。

次の日は、もう待てないということで、覚悟を持って行ってもらいました。ヘリコプターで大きな袋を吊り下げて、湖から水を汲んで下に落とすという作戦でした。三機飛んで行って、クルーは勇気をもって、本当によくやってくれました。

後から検証してみたら、この作戦はメルトダウンを阻止するという点では効果はありませんでした。なぜなら、既にメルトダウンしていたからです。しかし、これで何が動いたかというと、まず経済が動きました。日本が本気で動き出したということで、株価が上がりました。

そして米軍が動きました。自衛隊が動いたのなら米軍も行くぞという話になって、「オペレーション・トモダチ」が本格的に発動されました。それまで米軍は、救助活動に参加してくれていましたが、原発に向けての日米共同ということではありませんでした。しかしこれ以降、アメリカからも核の専門家がどんどん来てくれて、共同オペレーションで抑え込んでいったわけです。

日本が有事の際には自動的にアメリカが来て守ってくれると考えている日本国民が結構いますが、私はこのことから、自衛隊が前面に出ない限り米軍は絶対に来ないと確信しました。日本は尖閣諸島について、「アメリカは守ってくれますか」と毎回確認しますが、まずは日本が守らない限り、米軍は来ないと思います。同盟とはそういうものです。

香港、台湾、尖閣諸島

在任中のもう一つの危機は中国です。中国の海洋進出への対応は在任中にもいろいろありましたが、私が退官した後、中国はさらにエスカレーションしてきています。特に、フィリピンから、南西諸島、日本列島をつなぐ線――「第一列島線」と彼らは呼んでいますが、その内側を必要な場合は排他的にコントロールするのが中国海軍の狙いです。その彼らの戦略を達成するために邪魔な存在が三つあります。香港、台湾、そして尖閣諸島です。

香港はほぼ陥落しています。一九八四（昭和五十九）年、中国は香港返還について、返還後五十年間は一国二制度にすると約束しました。ところが、彼らの戦略を完結するために、「香港国家安全維持法」を制定し、香港の民主化・自由化を抑圧する強権を発動しているわけです。

台湾は今、ものすごい圧力を受けています。そして、尖閣諸島にもどんどん中国の公船が来ています。王毅外交部長（当時）は二〇二〇（令和二）年十一月二十四日、日中外相会談後の共同記者会見で「日本の偽装漁船が漁をやっている」と世界に向かって堂々と言い、それに対して茂木外務大臣は反論しませんでした。「外相会談では言うことは言っている」と言いますが、共同記者会見の時に言わなければ意味がない。

中国は、隙があれば尖閣諸島を取ろうとしています。ところが、日本は日米安保があるから安泰だと思っています。ここで気を付けなければいけないのは、米国は「尖閣諸島は日本の施政下にあるので日米安保の対象だ」と言っています。この施政権が、外から見て中国のものであると映れば、日米安保の対象にならないかもしれないということです。

どういうことかと言いますと、日本の漁船を中国の公船が追いかけまわすことによって、中国の公船が法執行している状況が積み重なり、「実際は中国がコントロールしている」ということになれば、アメリカは動かないかもしれないということです。中国はそのことを百も承知で、アメリカにずっとそれを見せつけているわけです。私の在任中も厳しかったですが、私が辞めた後も非常に厳しい状況が続いています。

イージス・アショアを巡って

次に、憲法問題に関連してお話したいと思います。皆さんご承知の通り、北朝鮮は日本近海に度々ミサイルを撃っています。特にトランプ大統領が就任した二〇一七（平成二十九）年には、金正恩委員長がトランプ大統領の出方を探るという意味もあったと思いますが、ミサイルを発射する、グアムを狙う、ハワイを射程に収める、最終的にはアメリカ本土だというように、どんどんエスカレーションさせていきました。

それに対して、トランプ大統領は金正恩を「ちびのロケット野郎」と呼び、国連総会で「このままやるのであれば北朝鮮をデストロイする」と発言しました。そして、アメリカは空母を三隻日本海に入れて日米共同訓練を実施することによって軍事プレッシャーをかけ、メッセージを送ったわけです。

四十六年間の自衛隊生活の中で、この年が一番戦争を身近に感じた年でした。アメリカが北朝

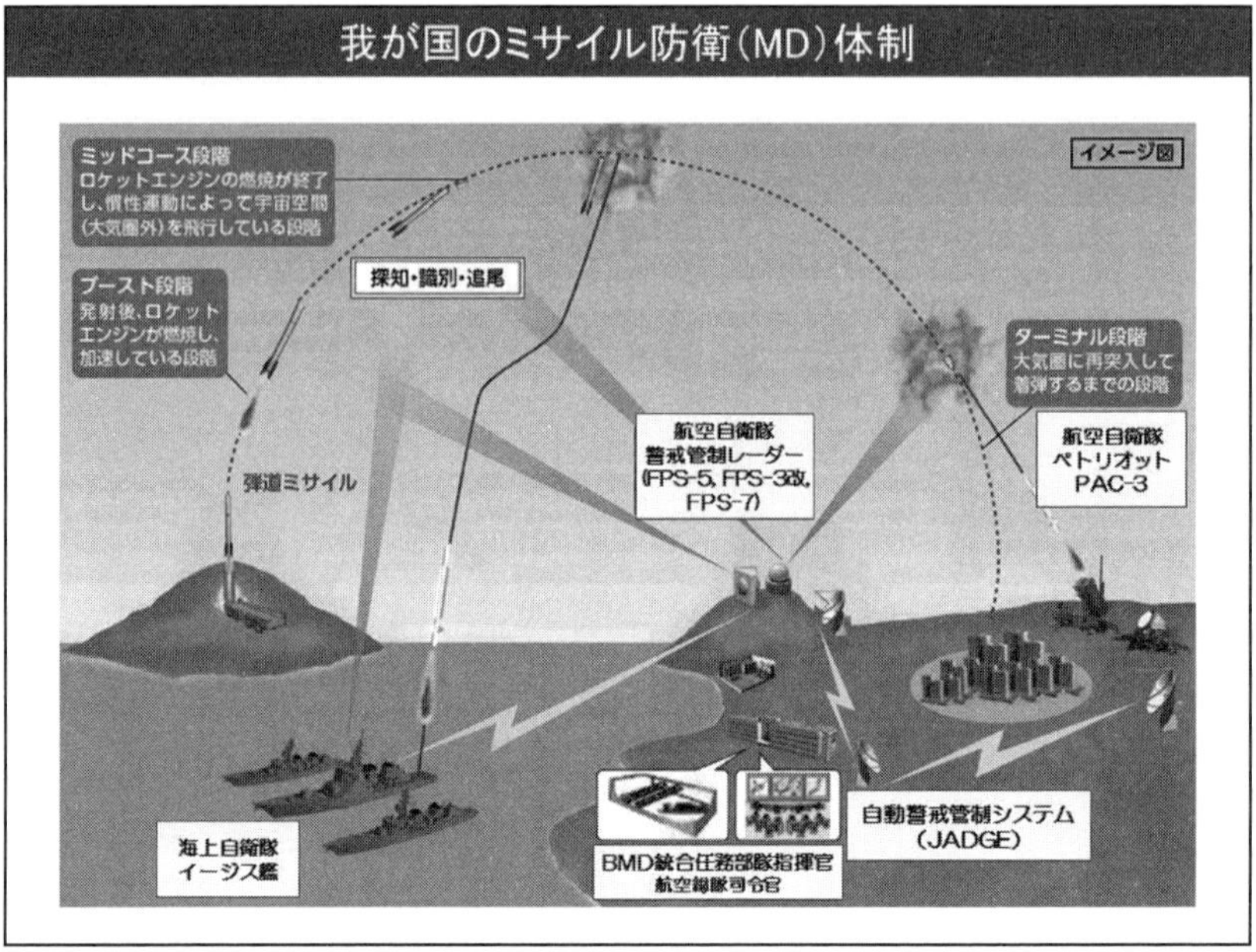

我が国のミサイル防衛体制（出典：防衛省ＨＰ）

鮮を攻撃する確率は六割以上あると思った時期がありました。金正恩委員長が計算違いをして、アメリカが設定しているであろうレッドラインを踏み越えれば、当然戦争になると思っていました。そういった場合の日本の対応について、私は責任者なので、自分の中で一応頭の体操だけはしていました。

その流れの中で、二〇一七（平成二十九）年四月にイージス・アショアの導入について検討し始め、十二月に導入を決めました。私が統幕長で、小野寺防衛大臣の時です。

北朝鮮がミサイルを撃ってきた時に、日本の対応としては、まずイージス艦で撃ち落とし、撃ち落とせなかったらＰＡＣ３で打ち落とすという二段階になっています。しかし、北朝鮮が何発も同時に撃ってきた時に防げるかといえば、絶対とは言い切れない。ならば、もう一つ必要だという話になりました。今あるシステムは、ＴＨＡＡＤ（サード）かイージス・アショアです。在韓米軍はＴＨＡＡＤを導入しましたが、我々は二つを比較検討した結果、費用対効果等からイージス・アショアという結論を出し、閣議決定されました。

翌年（平成三十）一月の朝日新聞の世論調査では、「イージス・アショアの導入に賛成」が六十六％でした。国民の約七割が賛成だったのです。当時の国民は、Ｊアラートが鳴ったり、自治体によっては避難訓練等もやったりして、ものすごく危機感を持っていました。国民的後押しがあってイージス・アショアが導入された、というのが当時の私の認識でした。

「敵基地攻撃」というのがありますが、これは実は鳩山一郎総理の時に、日本にミサイルが飛んでくる時に「座して死を待つ」ということは、日本国憲法でさえ指し示すところではない。従ってそういった時にはミサイル基地を攻撃できる、という憲法解釈を下しているのです（一九五六年二月二十九日、衆議院内閣委員会）。

ですから自衛の範囲内で、ミサイルが発射されようとする時にそこをピンポイントで攻撃することは、今でも憲法解釈上可能です。政府は政策上の判断として、これをやっていなかっただけなのです。

我々がイージス・アショアを導入した時は、「敵基地攻撃」は政策上の選択肢にはなっていませんでした。純粋な防衛システムであるイージス・アショアしかなかった。ところが二〇二〇（令和二）年六月に河野防衛大臣が、イージス・アショアの導入をキャンセルすると言われました。

私はこの決定には納得がいきません。

イージス・アショアは、陸上自衛隊の演習場に配備することにしました。秋田県と山口県に選定して、地元の理解を得るために防衛省がいろいろと説明したのですが、その中でブースターの問題が出てきました。

ミサイルを撃つと、使い果たした燃料タンクを地上に落とすわけですが、この約二〇〇kgあるブースターは絶対に演習場の外には出ません、という説明を当初防衛省はしていたそうですが、メーカーに確認してみると、「一〇〇%は保証できない」「そのように改造するためには十年、二千億円かかる」という話になり、それで河野防衛大臣はやめると決断した。

この話が根本的におかしいのは、イージス・アショアを発動するのは、核弾道ミサイルが飛んでくる時です。国家存亡の危機です。もちろん平時にブースターが落ちてきたら大問題ですが、国家存亡の危機に「もしかしたら演習場の外に落ちるかもしれない」ということだけで全部チャラにしていいのか。そこは国民を説得すべきです。ブースターが落ちるのが不安だというなら、緊迫した時には避難してもらう、あるいはシェルターを作っておく、といった措置で納得してもらえばいいのです。

「SM－3ブロック2A」という、今までのイージス艦のミサイルより射程の長いミサイルを日米共同で作り上げ、これをイージス・アショアに乗せることになっていました。世界に冠たるイージス・アショアだったわけです。

防御だけでは難しいから敵基地攻撃も含めて考えるべきではないか、という議論ならわかります。そうではなく、ブースターの落下場所が最優先課題になってしまい、核弾頭ミサイルを撃ち落とす精度を落としてまで、ブースターを演習場内に確実に落下させる改造を要求するという、こんなおかしな話になってしまったわけです。

自衛隊を憲法に明確に位置付けよ

日米同盟は、「盾」と「矛」と言われます。攻撃してくれるのはアメリカだという前提に立っています。攻撃するのはアメリカで、守るのは日本だと。日本はもう絶対に攻撃しない、アメリカにやってもらおうという「専守防衛」という考え方は憲法の精神から来ているわけですが、こんなことが世界に通用するのでしょうか。スネ夫がジャイアンにぶん殴ってくれと頼むようなもので、国家の品格の問題です。

そして憲法九条の問題ですが、「自衛官の娘、息子がかわいそう改憲」というのがあります。自衛官の娘、息子が学校で「お前のお父さんは違憲だ」と言われたと。確かに以前はそういうことがありましたが、今はないかも知れませんし、自衛官の子息のための改憲というのも本筋ではないと思います。

「これでいいんじゃない護憲」というのもおかしい。自衛隊も現にあるし、日米同盟は強化されたのでもう憲法まで触る必要はないという考え方です。日本は自衛隊という、この国を守る根幹の組織を憲法に明確に位置付けていません。ですから、安倍総理（当時）が言われた自衛隊明記案には私も賛成です。九条二項を変えて自衛隊を位置付けるのが正規だと思いますが、公明党の了解を得なくてはいけませんから、まず違憲か合憲かの決着をつける、というのはいいと思います。

ただ、自衛隊を憲法に明記することで、今自衛隊が抱えている矛盾は解消されません。本来は、国防というものを憲法上如何に位置付けるかという、いわば「国のかたち」の問題として、国民に正面から問いかけるべきだと思います。

○質疑応答

Q１　中国に離島が侵略された場合、日本の自衛隊に奪還する能力はあるのでしょうか？自衛隊は軍備拡張を続ける中国と戦えるのか、教えてください。

河野　尖閣諸島を中国に乗っ取られてから奪還するより、島に自衛隊の基地を置いて防御を万全にして迎え撃つ方が簡単です。一回取られたものを奪還するのは非常に困難です。

これまでの自衛隊の、島を奪還する能力はものすごく低かった。それを、二〇一八（平成三十）年に「水陸機動団」という日本版海兵隊を長崎県の佐世保に創設し、今これを充実・強化しようとしています。アメリカ海兵隊と共同で島嶼奪還の訓練をして、装備もそれなりに備えつつあります。したがって、能力は格段に上がってきていると思います。ただ、それで本当に中国と戦えるのかということになると、やってみないとわかりません。

当然自衛隊が前面に出て戦うことになりますが、制海権や制空権は米軍に頼まなければなりませんので、日米共同であれば戦う余地はあるのではないか、少なくともその能力は向上させつつある、ということです。

Q2　もし台湾が中国に侵略されてもアメリカが反応しなかった場合、日本は台湾を助けることが可能ですか？

河野　私は台湾に中国が軍事侵攻した場合は、米軍は介入すると思います。そうでなければアジアにおける米国の信頼性は地に落ちます。もし、米軍が介入せず、日本に影響がなければ、日本は台湾との間で軍事同盟関係はありませんから、動きは取れないと思います。しかし、台湾だけが有事ということは考えにくく、南西諸島全域が戦域になると思います。そうすると、それは日本有事ということになる可能性があります。中国は米軍に台湾を支援させないために、日本の米軍基地を狙ってきます。それは日本が攻撃されるということです。台湾有事イコール日本有事と考えた方がいいと思います。

台湾有事で、米軍が介入し、かつ日本にはまだ波及していない場合でも、平和安全法制で「重要影響事態」に関する規定が改正され、朝鮮半島あるいは台湾で有事になった時に米軍が介入する、それが日本にとって重要な影響を及ぼす事態となる可能性がある場合は、米軍の後方支援等をしてよいことになっています。

Ｑ３　自衛隊が憲法に明記されていないことで、自衛隊が守れなかったものはありますか？

河野　先ほどお話したように、能登半島沖不審船事案の時に船体射撃ができませんでした。今は法律が改正されてできるようになりましたが、そういうことを遡ると、日本の手足を縛るのが今の憲法の根本精神だというところに行き着きます。ＧＨＱがつくったものですから当然です。そして、その憲法の下につくられている法律体系も、手足を縛るようなものになっているということです。

不審船事案で北朝鮮の工作船を取り逃がしましたが、あの犯人たちを取り押さえて白状させれば、拉致問題はまた違った展開になったかもしれません。

憲法九条もさることながら、前文で「平和を愛する諸国民の公正と信義に信頼して、われらの安全と生存を保持しようと決意した」と、こんな恥ずかしいことがよく言えるなと思います。そういうものがまだ文面として残っている憲法は世界に他にありません。

日本は悪い国なので手足を縛っておく、そうすれば世界は平和だ、という根本思想が憲法にあり、そこからいろいろな問題が生じている。それで弥縫策として、どんどん法律をつくっているのが今の状況だと思います。

Q4　安倍前総理が硫黄島に行かれた時に、河野先生はご一緒だったと伺っておりますが、その時のエピソードをお聞かせください。

河野　私は統合幕僚長の前に、海上幕僚長という海上自衛隊のトップを務めていました。二〇一三（平成二十五）年四月、当時の安倍総理が硫黄島を視察されました。硫黄島には海上自衛隊と航空自衛隊が駐屯していますが、管理は海上自衛隊がやっていますので、責任者として私がお迎えしました。

安倍総理は島内をまわられて、飛行艇で次の訪問地の父島に向かわれることになっていたので、私がお見送りしました。整列した隊員の前を通って滑走路の上に来られた時に、安倍総理は突然跪《ひざまず》かれ、手を合わせてお祈りされました。こういうことをされるとは聞いていませんでしたので、全く予想外のことでした。マスコミはいませんでしたから、パフォーマンスではありません。

硫黄島の滑走路に跪き、手を合わせる安倍総理
（写真：河野氏提供）

硫黄島は日米の激戦地ですが、アメリカは日本本土空襲の基地に使うために硫黄島を攻略しました。そのため、彼らは硫黄島占領後、ブルドーザー等を投入し、一気に滑走路をつくりました。したがって、滑走路の下にはたくさんのご遺骨があるのです。総理もそれを知っておられて、跪かれたわけです。そしてその後、滑走路を撫でられました。

私はその時、戦歿者に対する慰霊の気持ちが心底ある方だと思いました。そこが原点にないと、国家のトップの資格はないと思います。先人の犠牲の上に今があるわけですから。立派なリーダーは全部そこが下敷きになっています。私は安倍総理は本物のリーダーだと思いました。

Ｑ５　河野先生は、今の憲法について「国のかたちの問題」とおっしゃいましたが、それがどういうことか、もう少し詳しくお聞かせください。

河野　自衛隊は憲法九条の下で生まれていますから、「戦力ではない」ということになっています。自衛隊は戦力ではないから憲法上認められる、ということになっているわけです。

イージス艦を持ち、ＢＭＤ（Ballistic Missile Defense ＝弾道ミサイル防衛）の対応能力も持ち、Ｆ35（戦闘機）を導入し、対艦ミサイルも導入していて、本当に「戦力でない」と恥ずかしげもなく世界各国に向かって言えるのか、ということです。これ一つとってもおかしい。

軍隊というものは国家において明確に位置付けておかないと、逆に危ない。日本最大の武力集団である自衛隊を憲法上明確に位置付けておかなければいけませんが、それが宙ぶらりんの状態です。

憲法学者の半分以上が「自衛隊は違憲」と言います。憲法をよく読めば、確かにそうかもしれません。こういう、憲法違反かそうでないかよくわからない状態がずっと続いているわけです。他の国においては、軍隊は確固たる地位を与えられ、確固たる制約もはめられています。

私が言っているのはそんなに難しいことではなく、自衛隊が「お前たちは違憲で存在してはいけないけど、まあ、とりあえず働いてくれ」という状態でいいのか、ということなのです。

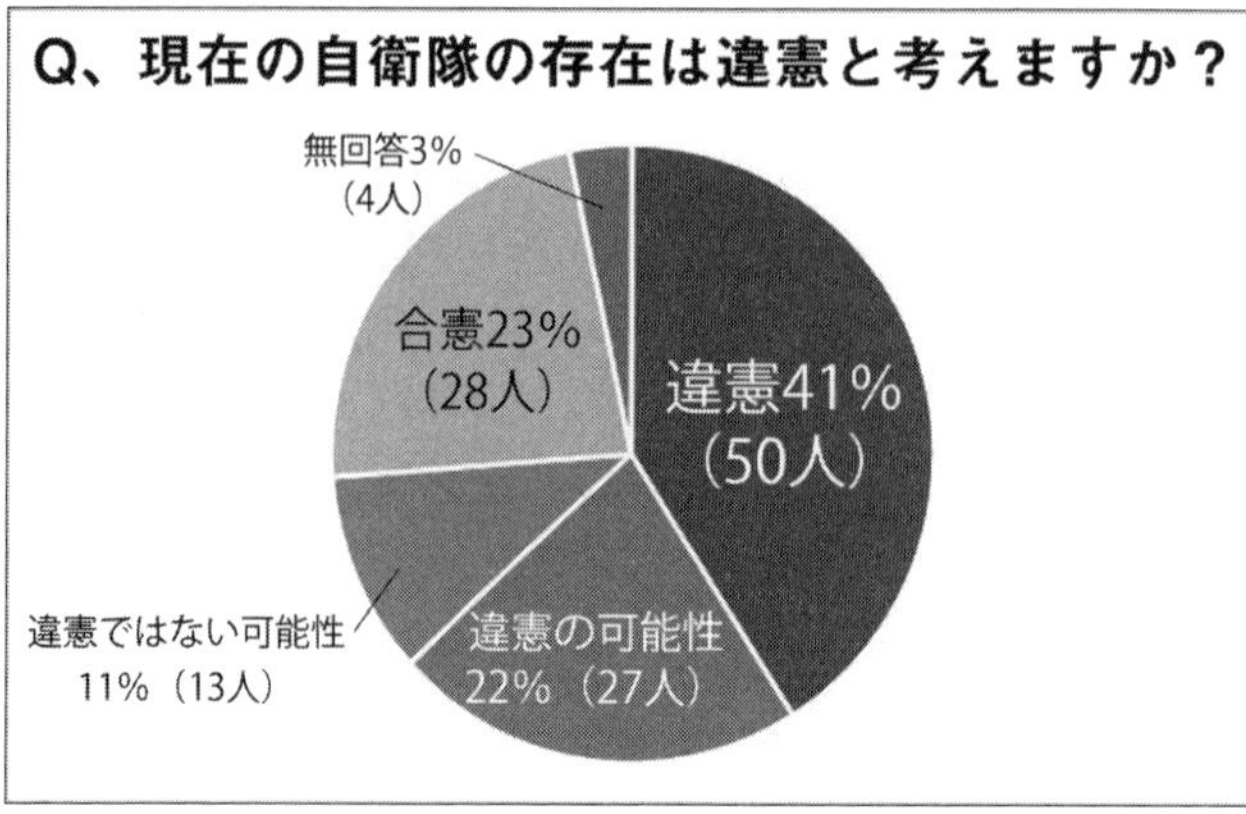

朝日新聞による憲法学者アンケート（平成27年6月実施）をもとに作成

第4章　新たな冷戦構造と台湾有事

評論家　石　平

第4回 TOKYO 憲法トークライブ
（令和3年4月29日）

新たな冷戦構造と台湾有事

石平（評論家）

人権問題を基軸とした新たな冷戦の構図

私は元々中国出身で、日本に来たのは一九八八（昭和六十三）年です。翌年に昭和天皇が崩御されました。本日参加している皆さんの多くが生まれる前から日本にいたことになります。今は日本に帰化しております。

今日はまさに我々日本人の立場から、国際情勢がどうなるのか、中国問題がどうなるのか、それに対して日本はどのように対処できるか、ということについてお話したいと思います。

皆さまが気付いているかどうかは別にして、冷戦終結後の世界で一番大きな変化が、昨年（二〇二〇年）から今年にかけて起こりつつあります。私が日本に来た翌年、一九八九（平成元）年にベルリンの壁が崩壊して冷戦が終わりましたが、今新しい冷戦が始まっています。昨年十月以降の一連の出来事を振り返ってみれば、そのことがわかるだろうと思います。

二〇二〇（令和二）年十月六日、国連総会が行われ、人権を扱う専門の「第三委員会」で、ドイツの国連大使が世界三十九か国を代表して、中国の人権抑圧に対して厳しい批判を行いました。批判を行った背景には、中国政府が新疆《しんきょう》ウイグル自治区において、ジェノサイドというべき人権弾圧を行ったことと、同年七月一日に「香港国家安全維持法」というとんでもない法律を押し付けて、香港の人権弾圧ができるようにしたことがあります。主にこの二つの人権弾圧が世界の関心を呼ぶことになり、ドイツの国連大使が三十九か国を束ねて、中国を批判したということです。ドイツのメルケル首相は長期政権ですが、これまでは経済利益のために中国の人権問題はあまり批判しないという立場でした。

そして、ドイツが束ねた三十九か国には、アメリカをはじめ、イギリス、フランス、イタリアなど、世界の先進国はほとんど入っています。もちろん日本も入っていて、南半球のオーストラリア、ニュージーランドも入っています。西側先進国が団結して、中国に対して「人権弾圧をやめなさい」と批判したわけです。

それに対して中国はどう対処したかというと、中国の国連大使が二十六か国を束ねて、「西側こそ人権を抑圧している」という反撃を行いました。問題は、中国が束ねた二十六か国がどういう国かということです。そのリストに入っているのは、ジンバブエ、キューバ、北朝鮮、イラン、シリアといった国々です。それらの国々が小さい国だからといって馬鹿にしているのではありません。それらの国々は人権抑圧のひどい国、あるいは中国の経済援助がないとやっていけない国だということです。

ドイツの国連大使が西側諸国の先頭に立って中国を批判する。それに対して中国が人権抑圧国家を束ねて対抗する――。ここから未来の世界の対立の構図が見えてきます。一方は西側先進国、自由世界です。人権・民主・自由といった価値観を大事にする国々。もう一方は、中国が束ねた

世界のならず者国家です。こうした人権問題を基軸とした新たな冷戦の構図が現れてきたのが、十月六日の出来事でした

この動きは、その後も止まりません。今年（令和三年）になってアメリカ政府は、トランプ政権が終わる直前に、中国がウイグル人に対してやっていることを正式に「ジェノサイド」と認定しました。これは非常に大きなことです。ジェノサイドという一つの民族の抹消をこれまでに企てたのは、ナチスドイツだけでした。つまり、中国共産党政権がウイグル人に対してやっていることは、かつてヒトラーがユダヤ人に対してやったことと同じだという話になるわけです。

中国の行為を「ジェノサイド」と認定したのはアメリカだけではありません。カナダの議会もウイグル人に対する弾圧をジェノサイドとして認定した上で非難していますし、オランダやイギリスの議会も同じような決議を出しています。先進国の中で一番中国に配慮しているのは他ならぬわが日本国政府で、未だに中国の行為を「ジェノサイド」と認定していません。

今、ドイツにしろ、オランダ、イギリスにしろ、先進国が中国の人権抑圧に対して絶対許さないという態度を明確に示して、包囲網のようなものが徐々にできあがっています。単に決議を出しているだけではありません。例えばアメリカは、ウイグル人に対する人権弾圧に関わった中国共産党の幹部に対して数回にわたって制裁を加え、三月にはＥＵも共産党幹部に制裁を加えました。

人権を大事にする、民主主義の価値観を大事にする――そういう国々が団結して、人権抑圧の大国である中国と対立するという流れが明確になってきているということです。

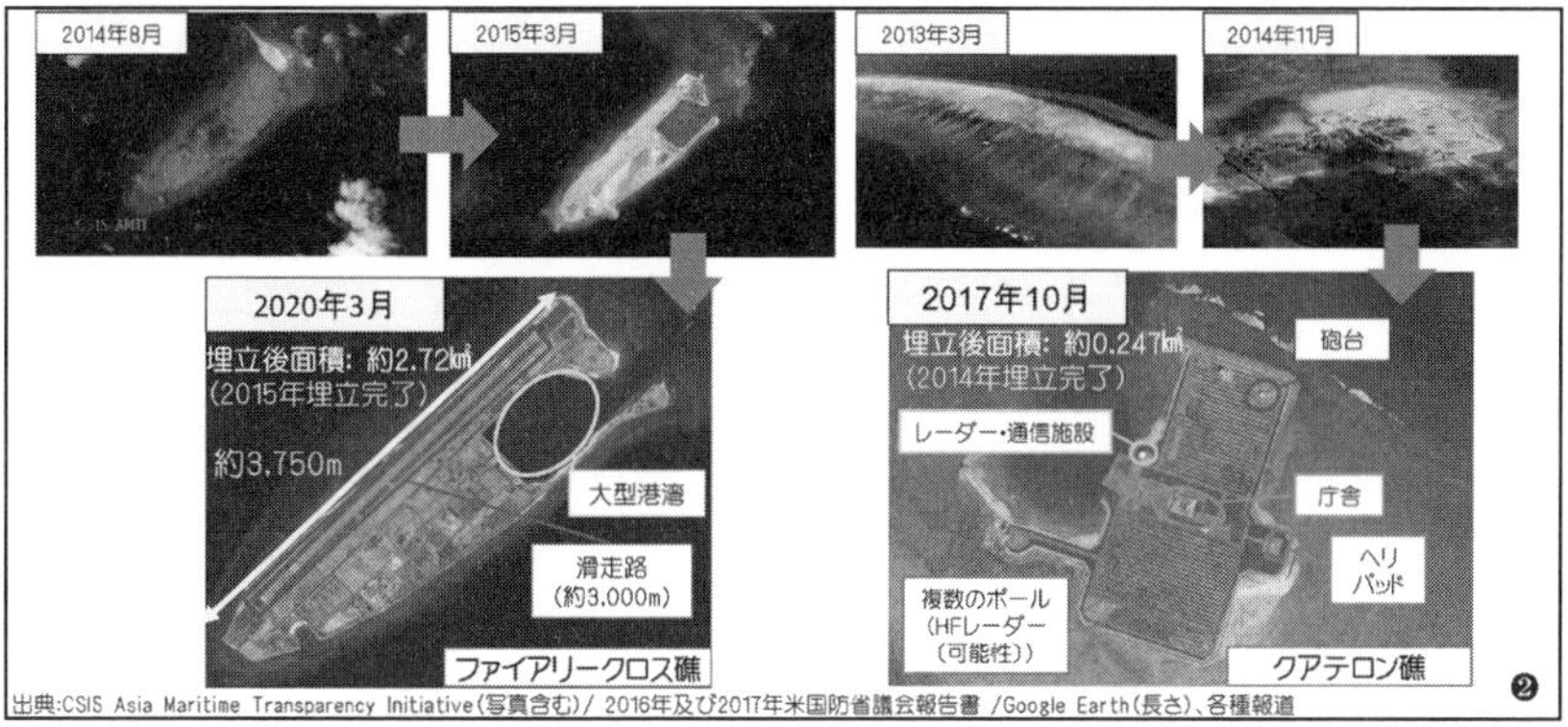

南シナ海における中国の軍事拠点化（出典：防衛省HP）

インド太平洋地域における新たな冷戦

新しい冷戦にはもう一つの側面があります。それは世界の安全保障における冷戦です。インド太平洋地域——東シナ海、台湾海峡、南シナ海など全部含めて、中国が新しい冷戦を引き起こしています。

習近平政権ができたのは二〇一二（平成二十四）年ですが、それ以来、中国政府は一貫して南シナ海の軍事拠点化を進めてきました。南シナ海のあちこちで島を埋め立てたりして、軍事拠点を構築しているのです。これは大変深刻な問題です。

南シナ海は、世界各国にとって重要な海域です。輸出にしろ、輸入にしろ、世界の貿易の半分は南シナ海を通して運ばれます。南シナ海を走るシーレーンは、多くの国々にとって経済の生命線です。日本だってそうです。私たちの生活が成り立つために毎日のように中東から運ばれてくる石油は、南シナ海を経由しています。

中国が南シナ海を押さえつける狙いはまさにこれです。南シナ海を軍事支配下に置き、日本を含めて自由世界の国々が中国の言いなりになる以外にないという状態をつくり出すことが、習近平の狙いなのです。それだけではなく、中国は台湾の武力併合を虎視眈々と狙っていますし、日本固有の領土である尖閣諸島も狙っています。そのような海に向かっての中国の侵略的拡張に対して、世界各国が危機感を募らせています。

先ほど、ドイツが三十九か国を束ねて中国の人権弾圧を批判したという話をしましたが、実は同じく二〇二〇（令和二）年十月六日に、東京で非常に重要な会議が開かれました。日米豪印の四か国の外相が東京に一同に集まって、国際会議を開いたのです。この日米豪印四か国を「QUAD（日米豪印戦略対話）」と言います。その狙いは、自由で開かれたインド太平洋の秩序を守ろうということでした。

「秩序を守ろう」ということは、秩序を壊す者がいるということですが、それが中国であり、習近平なのです。バイデン政権発足後、アメリカの呼びかけでQUADの首脳会議もオンラインで行われています。QUADが対中国の連携として浮上し、十月六日の外相会議で、明確に中国の拡張的侵略を封じ込める形ができました。そして、QUADは今後四か国連携にとどまらず、ベトナムやニュージーランドなど、さらに拡大していく可能性もあります。冷戦時代、アメリカと欧州が旧ソ連の脅威に対抗するためにNATOという軍事組織をつくりましたが、QUADを中心としたアジア版NATOができあがる可能性が十分にあります。

QUADの四か国以外で、今年（二〇二一年）になって太平洋と直接関係のない国々も中国を封じ込める包囲網に加わってきました。それはフランスとドイツとイギリスです。フランス海軍は今年三月、海軍を日本周辺の海に派遣し、日米と共同で軍事演習を行いました。その後しばらくして、ドイツの海軍もやってきました。

そして、これも世界史に特筆すべきことですが、イギリスは空母打撃群をアジアの海に派遣すると発表しました。イギリスは大英帝国時代に世界の海を制覇した大国ですから、中国を封じ込めるために空母打撃群をこちらに派遣することは非常に重要な意味を持ちます。それだけ彼らは、インド太平洋地域における中国の膨張、拡張を許せば世界秩序が破壊されるということを憂慮しているのです。

フランス海軍、ドイツ海軍、イギリス海軍がみんな日本にやってくるわけです。戦後の歴史においてかつてなかったことです。民主主義国家が海軍力を動員して、日本周辺のアジアの海で中国包囲網を構築し、中国の侵略的拡張を封じ込める行動に出たことは、世界史上の大きな変化を物語っています。

新しい冷戦は二つの分野で起きています。一つは人権問題、もう一つは安全保障です。アジアの平和と世界の人権を守る――この二つの分野において、今まさに中国を相手にして、世界各国が団結して戦う時代が始まっているということです。

日米同盟の新たな性格

先ほど、ドイツやイギリスの動きといったことを紹介しましたが、新しい冷戦の一番の当事者は、ドイツでもなければイギリスでもありません。我々の日本国です。中国の南シナ海での侵略的拡張は日本にとって他人事ではないし、現に日本の尖閣の領土が狙われています。日米同盟も新しい冷戦に対応して、歴史的変化を遂げなければなりませんが、去年から今年にかけてその動きが起きています。

三月下旬、東京で非常に重要な会議が開かれました。「2プラス2」と言って、アメリカの国務長官と国防長官が東京に来て、日本の外務大臣と防衛大臣と会議を行いました。そこで共同声明を出したのですが、注目すべき歴史的変化がありました。それは、中国を名指しで批判し、中国こそが日米同盟の新しい課題になると明言したことです。

日米同盟は、米ソ冷戦時代にできあがったもので、主にアメリカが旧ソ連の脅威から日本を守るためにできたものです。しかし、旧ソ連が崩壊し、その脅威が消えた今、日米同盟は何のためにあるのでしょうか。まさに三月の2プラス2において、かつての旧ソ連に代わって、中国の脅威からアジアの平和を守るという日米同盟の新しい性格が明確になったわけです。

それにとどまらず、四月には菅首相が訪米し、日米首脳会談が行われました。菅首相はバイデン政権発足後、初めてアメリカを訪問した外国の首脳になりました。この会談も非常に重要な意味を持っています。共同声明において、中国から尖閣を守る、そして台湾海峡の安全と平和を守る意志を明確に示したのは半世紀ぶりのことで、日米同盟は、単にアメリカが日本を守るという話ではなく日米共同でアジアを守るためのものになったのです。

日米同盟は大きな変化を成し遂げて、アジア周辺からも大きく期待されています。

尖閣諸島は日本の施政権下にあるのか

次に、日本にとって切実な問題である尖閣問題についてお話したいと思います。尖閣諸島は日本固有の領土で、中国の領土である証拠は何一つありません。一九五〇年代の中華人民共和国の地図では、尖閣諸島は明確に日本の領土になっています。

しかし、現状は非常に危険で、深刻な状態です。中国の「海警局」は日本の海上保安庁にあたる組織ですが、日本の海上保安庁と違うのは人民解放軍の軍事委員会の組織で、準軍事組織だということです。ほとんど毎日のように尖閣諸島周辺の海に入ってくる海警局の船は、当然機関砲も搭載しています。彼らは時には排他的経済水域（ＥＥＺ）にも入り、領海にも侵入してきます。主権国家にとって、領海に侵入されることは侵略されることと同じです。これを軽く見てはなりません。海警局の船が尖閣諸島の領海に入ったことは、中国軍が東京湾に上陸したことと、性格的には同じなのです。

尖閣諸島は日本の領土ですが、我々日本国民は誰も上陸できません。政府が上陸させないのは中国に対する配慮であって、尖閣諸島に公務員が駐在するという話も立ち消えになっています。中国に配慮して何事もなければそれでいいという話ですが、しかし考えてみると、今、尖閣諸島が誰のものかわからなくなってしまっているのです。

尖閣諸島周辺海域には、日本の海上保安庁の船もあれば、中国の海警局の船もあり、お互いに目に見える距離にあります。中国人も尖閣諸島に上陸できませんが、我々日本人も上陸できない。

まるで中国と日本は対等な立場で尖閣を取り合っているという状況です。尖閣諸島は、実際に中国に侵略されているといっても過言ではありません。

２プラス２の会談においても、日米首脳会談においても、もし中国軍が尖閣に対して軍事的行動を開始した場合には、アメリカは日米安保条約の規約に基づいて出動し、日本の自衛隊と一緒に戦うということを何度も強調しました。しかし、そこには前提があります。

アメリカは、尖閣諸島がどこの国の領土であるか、中国のものであるか、日本のものであるかには基本的に関与しません。アメリカが尖閣諸島を守る前提は、あくまで「日本の施政権下にある」という条件においてです。では、日本の施政権下にあるという証拠はどこにあるのでしょうか。例えば、日本の公務員が尖閣諸島に駐留している、あるいは日本国民が上陸しているならば、それは証拠になります。しかし、今の日本政府は何もやっていません。中国のやっていることは、尖閣諸島が日本の施政権下にあるという前提を崩すことなのです。

また、中国は「海警法」という法律をつくって、海警局の船に武器使用の権限を与えました。つまり、海警局の船が尖閣の日本の領海に侵入して、現場の判断で武器を使用する可能性があるということです。

尖閣諸島を守るためには、日米首脳会談の共同声明だけでは不十分で、例えば尖閣諸島に建築物をつくったり、警察を配置したり、定期的に上陸して調査するなど、日本政府として尖閣諸島が日本の施政権下にあることを示すための行動をとらなければなりません。

尖閣諸島は、自ら進んで守らなければアメリカは守ってくれません。インド太平洋の平和を守るためにアメリカやオーストラリアはもちろん、イギリス、フランス、ドイツも動き出しました。しかし、本来の一番の当事者は日本なのです。日本はこれまで平和憲法の下で、日米同盟に守られてきましたが、これからはそのような気楽な立場は許されません。

台湾有事に如何に備えるか

次に台湾有事についてお話したいと思います。まずは台湾の歴史を振り返ってみます。

台湾は、戦前は日本が統治していました。その後、日本が敗戦してしまうと、台湾がどこのものなのか曖昧な状態になりました。ポツダム宣言でも、明確に台湾の所属について明記していませんでした。その間隙《かんげき》を突いて、当時の中華民国が台湾を接収しました。その後、中華民国は一九四九（昭和二十四）年に共産党との内戦に敗れ、台湾に逃げ移りました。

こうした経緯から、現在アジアには二つの「中国」が存在します。一つは、大陸を統治している中華人民共和国。もう一つが台湾にある中華民国という国です。

しかし、大陸の共産党政権は最初から中華民国を国家として認めていません。自分たちに破れて台湾に逃げたのだから、中華民国という国は存在しないという立場をとっており、中国は世界に一つしかない、台湾は中国の一部なのだと主張し続けています。私も中国で生まれ育ち、子どもの時から、「台湾は神聖なる中国の領土の一部であり、必ずいつか取り戻さなければならない」と教えられてきました。

毛沢東時代のスローガンは、「台湾解放」でした。いずれ人民解放軍を派遣して、台湾を統治するという考え方です。しかし、当時の人民解放軍はほとんど海軍力がなかったため、台湾を取りに行く能力がありませんでした。その後、鄧小平の時代になると、台湾統一は武力的には難しいため、「平和統一」というスローガンを持ち出すようになります。これは、平和的な形で台湾を併合するという政策です。

その後、共産党政権がモデルにするようになったのが香港でした。ご存じの通り、香港はイギリスの植民地でしたが、一九九七（平成九）年に中国に返還されました。中国返還後の香港は、社会主義の中国に返還されたとしても、イギリス植民地時代同様の民主主義・資本主義制度を保つという「一国二制度」、つまり、一つの国の中で二つの制度が併存するという特殊な政策が前提となりました。

しかし、先に述べたとおり、習近平政権は、香港の一国二制度を徹底的に破壊したため、現在は完全に中国共産党の支配下に置かれるようになりました。香港の惨状を目の当たりにした台湾人は、もはや誰も一国二制度を信じていません。共産党政権が唱えてきた「平和統一」は不可能になり、武力統一しかないというのが現在の習近平政権の認識になりつつあります。

毛沢東時代に、台湾を侵攻できなかったのは海軍力がなかったからです。しかし、中国はこの数十年間で経済も急成長し、国力も増強して、かつてとは比べ物にならないほどの海軍力を持つようになりました。空母を保有し、軍組織もつくりました。さらに、昨年あたりから中国軍機は頻繁に台湾海峡を越えて、台湾の防空識別圏に入り、軍事的圧力を強めています。習近平も頻繁に軍を視察して、戦争の準備を迅速に整えよと呼びかけています。戦争する気満々なのです。

中国共産党にとって、台湾併合は共産党政権の統治の正当性に関わる問題です。彼らは国民党政権をつぶして大陸をすでに支配しました。しかし、いまだに中華民国という国が台湾に存在します。中華民国をつぶさなければ共産党政権の正当性が揺らぎかねないので、何としても台湾を手に入れたい。そのためには武力行使も辞さないというのが彼らの基本的な立場です。

では、この台湾問題について日本人はどう考えるべきなのでしょうか。

まず、台湾は世界有数の親日国家です。日本という国も大事にしてくれています。私も二〇二〇（令和二）年の総統選の時に、台南の歴史博物館に行きましたが、日本の統治時代については、良いことばかりが展示されています。日本統治によって、男女平等の社会が実現し女性が初めて教育を受けられるようになったこと、近代的教育システムがはじめてつくられ、産業が活性化しダムができたことなど、どれも良いことばかりです。

日本にとって台湾は、戦略的にも非常に重要な国です。もし台湾が中国に統一されて、中国の軍事基地ができたら、日本の目の前で中国海軍がプレゼンスを発揮するようになります。日本の船舶が自由に南シナ海、台湾海峡を行き来することができなくなります。日本にとって決して他人事ではないのです。

日本だけでなくアメリカにとっても、台湾が中国に併合されると、沖縄の米軍基地が危険に晒され、太平洋におけるアメリカの影響力が失われます。

アメリカはそのことを深刻に考えているからこそ、日米首脳会談の共同声明で半世紀ぶりに台湾海峡の平和と安定に対する認識を明記したのです。日米両国の連携は深まりつつありますが、それでも習近平政権は台湾統一を絶対諦めない。チャンスがあれば必ず手を出してきます。

台湾問題に関して、もう一つ我々が真剣に考えなければならない問題は、台湾はれっきとした独立国家・民主主義国家でありますが、残念ながらアメリカ、日本、ドイツ、イギリス、いずれの国も台湾を独立国家として正式には認めていないということです。中国と外交関係を結ぶときに、中国と外交関係を結ぶのならば、まず台湾と外交関係を絶つよう要求され、日本もアメリカもそれに従いました。

日本も一九七二（昭和四十七）年に中国と国交を結びましたが、当時の田中角栄首相が国交正常化して、外交関係を結んだ翌日、日本政府は中華民国政府と外交関係の断絶を発表しています。本来ならば、台湾こそ我々が大事にしなければならない民主主義国家・親日国家であるのに、日本もアメリカも、台湾を独立国家として認めておらず、一方で中国とは外交関係を結んでいる。これまた非常に大きな問題です。

国家と個人の将来は密接に関係する

皆さんは、今まで日本で生活してきて、国際情勢や日本がどうなるかということに関心を持たなくても、自分たちの生活が保たれればそれでよかった。しかし、これからはそうはいきません。皆さんはまだ若いですが、国際情勢がどうなるか、中国がどうなるか、日本がどうなるかは、皆さんの将来に密接に関係してきます。尖閣諸島の問題も国防の問題も、決して他人事ではありません。

日本という国がなくなったらどうなるか。国を失った民族、例えば中国に支配されたウイグル人は、ジェノサイドに晒されています。若い女性たちが強制的に不妊手術をさせられ、強制収容所に入れられてしまう――これは現実に今起きていることです。台湾の人たちはそういうことがわかっているから、若者の八割ぐらいは、台湾が侵略された時には自分たちも立ち上がって戦うという意識があるのです。

私は昨年（二〇二〇年）、台湾の総統選に行きましたが、あれを見れば民主主義がわかります。日本の選挙はあまり盛り上がりませんが、国民の一票で総統が決まるからみんな熱気があります。私は両陣営の決起大会にも行きましたが、両候補とも対中政策をきちんと語っていました。日本の政治家で、どれだけの人が対中政策を語っているでしょうか。

これは政治家だけの問題ではありません。政治家たちを当選させたのは我々日本国民ですから、結局は我々国民の問題なのです。皆さんも一票の権利を行使する時には、そういう視点を持ってください。

もちろん、皆さんにもこれから目指す仕事や夢があることでしょう。それらも大切ですが、どこかで国を思う気持ちを忘れないでください。個人の夢を求め、仕事や勉強に励みながら、国の行く末、国際情勢を真剣に考えてください。そして、できるだけ発信してください。

お互いに頑張って、日本を守っていきましょう。

○ 質疑応答

Q1 中国の拡張に対して、世界の国々が協力して阻止しようとしているということですが、そのことは中国にとってどれほどの抑止力になっていますか?

石 中国という国は、口では絶対に「参った」とは言いません。これは昔からの伝統です。しかし、ある程度の抑止力の効果は確実にあります。

例えば、日米首脳会談の共同声明（二〇二一年四月）で、中国がもし台湾に手を出したら日米は座視しないというメッセージを明確に出したことは、中国にとっては「虎の尾を踏んだ」ことになります。本来ならば、中国は猛反発しなければなりません。今までの彼らの言い方をすれば「核心的利益を踏みにじられた」わけですから。しかし、彼らの反発はそれほど強くありませんでした。

それともう一つ、三月まで中国軍機が台湾の防空識別圏によく侵入していたのですが、日米首脳会談が終わった後、それがピタリと止まりました。これがいつまで続くかはわかりませんが、明らかに効果はあります。ただ、習近平政権はどんなことがあっても台湾への武力侵攻を絶対に諦めません。チャンスがあれば必ず手を出します。そこは注意しなければなりません。

Q２　人権侵害をはじめ、中国が世界から批判されている状況に対して、ネットでは中国政府を擁護する書き込みも多く見られます。本心なのでしょうか？

石　ネット上の書き込みについては、中国政府が検閲して自分たちに批判的な書き込みを削除すると同時に、自分たちに有利な書き込みをさせています。

中国では、人民元の「一元」の半分を「五毛」と言いますが、カネをもらって政府擁護の書き込みをする人たちを「五毛党」と言います。最近は、政府が財政難に陥っていることもあり、刑務所に服役している人に書き込みをさせています。書き込みをすればプラスの点数がつき、その点数が高くなれば刑期が減免されることもあります。

中国人の中でも、ネットから情報を得て、世界における中国の立場を理解している賢い人はもちろんいますが、どうにもなりません。独裁政権下では、例えばネットで政府を批判する書き込みをすれば自分が刑務所に入れられてしまいます。結局、習近平政権のやりたい放題ということになりますが、唯一それを止められるのは外国からの圧力です。

Q3　中国は尖閣諸島を奪取するために、どのような手段を用いるでしょうか？

石　彼らが手を出す時には、やはり武装した民兵を派遣すると思います。それを海上保安庁が排除したら、今度はそれを口実に海警局が出る。海警局を排除するには自衛隊が出動するしかありませんから、そうなった場合にはそれを口実に人民解放軍を出動させることになると思います。
日本の判断は難しいです。武装した漁民が上陸したら、首相はどう判断するか。何もしなければ占領され、施政権は完全に奪われてしまいます。かと言って、排除すれば必ず中国は次の行動に出てきます。日本政府にどこまでの覚悟があるのか。アメリカ軍に頼ろうと思っても、自衛隊が先に動かなければアメリカも動きません。ですから、中国がどのような手段で尖閣諸島を奪いに来るかよりも、日本政府がどこまで覚悟を決められるかが問われていると思います。

Q4　日本が尖閣諸島を実効支配することについて、中国の立場から考えた時、どのような手段が最も有効でしょうか？

石　基本的にどんな実効支配の方法も、中国は「まずい」と思うはずです。象徴的なことをこちらがすれば、彼らの方が厳しい判断を迫られます。

例えば、日米が合同で軍事訓練を行ったり、尖閣諸島に標識を立てたりした時に、中国はどう対処するか。こちらが何もしなければ向こうも判断を迫られることはありませんが、こちらがきちんと手を打てば、向こうがそれに対しての判断を迫られるのです。

彼らも簡単に戦争には踏み切れません。アメリカ軍の存在が大きいからです。独裁政権の弱点は、対外戦争に負けたら政権が必ず崩壊することです。かつて、帝政ロシアは日露戦争に負けたことによって崩壊しました。

こちらも彼らの弱点を見抜いて、実効支配を強めていく小さな一歩を積み重ねていくことが大事です。日米同盟の尖閣諸島を守るという意志を、目に見える形にしなければなりません。何もやらないことが問題です。

ただし、やる時は彼らがどう出るかを考えた上で、準備を整えてからやるのがよいと思います。

第5章 世界の秩序を守るために

元国家安全保障局次長 兼原 信克

第５回 TOKYO 憲法トークライブ
（令和４年３月27日）

世界の秩序を守るために

兼原　信克（元国家安全保障局次長）

はじめに

今回のウクライナ有事で、戦後の国際秩序、冷戦後の国際秩序が根幹から揺らいでいます。第二次世界大戦が終わった時、アメリカ、イギリス、フランス、中国、ソ連の五大国が戦勝国となって国際連合を立ち上げ、核兵器も独占する核不拡散（ＮＰＴ）体制という仕組みをつくり上げました。これを大きな土台にして、五大国が国連安保理で拒否権を持って国際政治を切り盛りしてきたのですが、ＮＰＴ体制下で核兵器を持ってもいいとされ、かつ、国連安保理常任理事国のロシアがウクライナに侵攻したわけです。警察が強盗になったようなものです。

しかも核兵器は、五大国間では絶対に戦争をしないという最後の拠り所でした。世界を支えている五大国が核を使って戦争をすると世界は滅びる。だから使わない。だから軍縮をやる、ということがずっと続いてきたわけです。ところが、プーチンは「自分は核を使うかもしれない」と言っています。世界の秩序を支えてきたロシアが侵略し、核を使って他国を恫喝するという事態が生じた。これは許してはいけないことです。

なぜ許してはいけないのか。私たちはどういう世界に住んでいて、なぜこの世界を守らなければばならないかということについて、まずお話してみたいと思います。

自由主義、民主主義はどのようにして世界に広がったか

日本という国には他のアジアの国々に比べて特別なところがあるのですが、それは近代化が早かったということです。江戸時代、一八四〇年代にアヘン戦争があって、清があっけなくイギリスに敗れたことにみんな驚きました。日本は、急速に攘夷から開国、明治維新へと舵を切っていきます。

イギリス、フランス、オランダといった国はアジアを植民地化していきますが、大航海時代の当初、日本や中国といった大きな国を植民地にするほどの力はありませんでした。人口希薄だったインドネシアやフィリピンは植民地にされてひどい目に遭いましたが、日本ではオランダ人が腰を低くして「商売をしたい」と言って長崎の出島に来ていました。当時の日本人にとって、オランダ人は商売相手だったので脅威とは思っていなかったのですが、十八世紀末の英国の産業革命でヨーロッパ人は突然強くなったのです。日本とタイ以外のアジアの国々は植民地、半植民地に貶められました。

面白いのは、産業革命後、アジア人を征服して回ったヨーロッパ人ですが、国内では、自由主義、民主主義が根付いていたことです。それは、フランス革命から劇的に始まりました。「国王が勝手なことをやっていいというのはおかしい」という議論が起こり、なぜ生まれついた身分というものがあるのかということが真面目に議論され始めました。産業革命で、ブルジョアと呼ば

れる起業家が出てきます。共産主義社会では「ブルジョア」は悪いイメージで語られますが、当時イメージが悪かったのは「貴族」です。貴族に生まれたというだけで豪奢《ごうしゃ》な家に住んで、働かないで暮らしている彼らに対抗して、創意工夫で会社を興し、真面目に働いて工場をつくった人たちがブルジョアです。質実剛健で、家族を大切にし、信仰心の厚い保守的な人々です。ブルジョアは「新しく生まれた」という意味です。そのブルジョアが「議会を開け」と言いました。

ところで縁戚の関係で外国人が国王になることが多かったイギリスには昔から議会がありました。外国生まれの国王が勝手なことをやると、土着の貴族が集まって国王に意見するわけです。これが議会の始まりです。王権と議会のバランスがとれた独特な英国風の仕組みだったのですが、それを理論的に先鋭化させ、共和制、三権分立、三部会の国民議会を実現したのがフランス革命です。

フランス革命は、共和制を恐れた周りの王政国家から押しつぶされますが、フランス革命の思想はまたたく間にヨーロッパに広がっていきました。ヨーロッパに自由主義、民主主義が広がり、議会が開設されていきます。このころ明治維新を起こした日本は、早くも一八九〇（明治二十三）年に議会を開き、総選挙も行いました。アジアで同時期に選挙を行った国はありませんし、世界的に見てもものすごく早い。その前年には大日本帝国憲法が公布されています。

お隣のロシアが議会を開いたのは日露戦争敗退後の一九〇六（明治三十九）年で、日本より十六年後です。その後、第一次世界大戦中に共産革命が起きました。中国では、清が滅びたのが明治天皇崩御の一九一二（明治四十五）年です。清の末期に大清帝国憲法というものがつくられますが、これは発布されずに、中国は共産革命へと流れていきました。だからロシアと中国は、日本と異なり自由主義を知らない国なのです。

西欧の国々では、その後、民主主義がどんどん根付いていくのですが、自由と民主主義は国内に限られた価値観でした。彼らは、アジアをどんどん征服して植民地にしていきます。植民地では議会なんか開きません。ヨーロッパは民主化していきましたが、アジア人の人権は蹂躙し、主権を奪っていく。欧米の上層諸国は民主化し、アジア、アフリカの下層諸国は植民地になっていく。この二重構造が二十世紀初めの世界なのです。

日本はこの時、すごく悩みます。アジアが植民地なんておかしいじゃないかという議論から始まるのですが、アジアの国はおしなべて弱小国だったので連帯するわけにもいかず、一所懸命努力してヨーロッパ諸国の輪の中に入っていったのです。しかし、やはり人種差別とか、どこか心の中で引っかかるわけです。

その後、満州事変、さらには支那事変へと突き進み、第二次世界大戦では敗北を喫します。大東亜戦争ではアジア解放を唱えて突き進んだわけですが、その前に満州に入り中国と戦争をしている。日本人自身が、自分が何をしているのかわからなくなってしまった側面があります。

こうして戦争に負け、これからも世界では人種差別、植民地支配が続くのかと思っていたら、驚いたことに、五十年代、六十年代に、あっという間に人種差別と植民地支配が終わりました。インドの聖人ガンジーは「非暴力・不服従」を貫き、自分の命と引き換えにインドを独立させました。アメリカのキング牧師もガンジーの心の弟子だから、絶対暴力を振るわないと誓って、自分の命と引き換えにアメリカ国内の制度的な人種差別を終わらせました。日本人としては、現状打破を唱えて挑んだ戦争に敗れはしましたが、その後、結局いい世界になったのではないかと思っているわけです。

ロシア、中国は自由主義を知らない

ところが、プーチンや習近平はそうは思っていません。ロシアと中国は二十世紀前半に出てきた全体主義国家で、日本の明治や大正のような自由主義の時代がないのです。ロシアはマルクスの階級闘争の思想にかぶれて、「労働者を解放しろ」と言ってロシア革命を起こしました。中国大陸では、日本の敗戦後、農民を動員した毛沢東が蔣介石を破って中華人民共和国をつくりました。

冷戦時代、共産主義対自由主義の二つの陣営の対立がありましたが、日本は自由主義社会に属していて本当によかったと思います。日本を含む先進民主主義国のＧ７が世界をリードし、ロシアと中国は共産主義を掲げて頑張ると言っていたわけです。最初はロシアが共産圏をリードします。両雄並び立たずで、すぐに中国とロシアは仲たがいします。

中国が最初にアメリカに近づいたのは一九七〇年代、毛沢東が死ぬ直前です。毛沢東はひどい人で、集団農業化で数千万人を餓死させています。当然反発が出るわけですが、権力闘争のプロである毛沢東は、驚いたことに紅衛兵と呼ばれる子供を動員して文化大革命を起こして、中国の政治社会制度を破壊し、破局を生むことによって政治的に生き残りました。

その後、鄧小平が出てきて、毛沢東のような個人崇拝はよくない、集団指導にして、総書記の任期を二期、十年にして、近代的な中国共産党をつくろうとします。ところが、民主化は失敗するのです。不幸なことに、ちょうどこの頃、ソ連が崩壊寸前になり、それを見た古参の中国共産党員が震え上がってしまった。それで民主化を求める学生運動を武力弾圧したのが天安門事件です。その後、鄧小平は民主化は絶対にしないと決めて、経済だけ自由化した。これが大成功して今の中国があるわけです。私たちは、経済が自由化されれば中国も民主化するのではないかと考えていたのですが、逆でした。経済発展は、独裁政治を維持するための手段でした。そして、プチ毛沢東のような独裁者の習近平が出てきて、西側諸国は「対中政策を間違えたかな」という話になっているわけです。

一方、ロシアはソ連時代、徹頭徹尾、経済を自由化しなかったので、市場経済が存在せず、発展が止まってしまいました。私がモスクワに出張した八十年代のロシアは、ネオンもなく、街が真っ暗でした。どこに行っても何も売っていない。行列があったら、何が売っているかわからなくても並ぶ。そんな風で、とにかく貧しかった。今は石油と天然ガスを売って儲けていますが、経済規模は韓国並みで、その経済力は日本の四分の一、中国の十二分の一です。ロシアは武門の国で、軍隊は九十万人いて、核兵器もたくさん持っています。また、国土はアメリカの二倍。人口は一億四千万人で、日本とあまり変わりません。バランスの悪い国なのです。

ロシアの人たちは歴史上ずっと騎馬民族に蹂躙され続けているので、敵の勢力が近づくのをすごく嫌がります。だからＮＡＴＯ拡大が頭にきたわけです。バルト三国、ポーランド、チェコ、スロベニア、ルーマニアなど、かつてソ連圏だった国がみんな自分の勢力圏から剥がされて、NATOに入ってロシアに銃口を向けるようになった。プーチンからすれば、「人の子分を取って、寝返らせたな」ということになるわけです。それに対して、「本人の意思でNATOに来たのだから、仕方がないでしょう」というのが西側の感覚です。この主張は原理的にロシアの言い分と相容れません。

西側の私たちは、「一人一人がどう考えるか」、つまり自由意思を一番大事にします。宗教でも哲学でも政治でも、「俺の言うことを信じろ」と上から押し付けるのは偽物です。立派な宗教、立派な哲学は、「頼りになるのは自分しかない。自分で自分の拠り所を見つけるしかない」と必ず言います。そして、自力で本当の自分を見つけた人たちが集まって、話し合ってルールをつくっていくのが民主主義です。これを一番愚直にやっているのがアメリカ人で、アメリカからすると、「NATOは拡大しないと言ったかもしれないが、本人が入りたいと言っているのだから仕方ないではないか」ということになる。ところがロシアは十九世紀の感覚で、「ここはうちのシマだ」と言っている。暴力団と一緒ですね。

日本も「一人一人の良心が正しいと感じることが正しい」と思っています。しかし、プーチンと習近平はそうではない。人間の自由な意思に価値を置かない。自由の意味が理解できない。領土を暴力団のシマのように考えている。そんな独裁者の侵略は決して許してはいけないのです。

トップが変わらないと権力は腐る

国際社会では、「小競り合い」はみんな嫌がって入ってきません。街の酔っ払いの喧嘩と一緒ですね。ところが、白昼強盗があると町内会がみんなまとまって、ガラッと雰囲気が変わります。反社会的な暴行には町内会全体が反対に回る。世間とはそういうものです。国際社会も同じです。

ロシアの侵略に対して国際社会全体が反応しましたが、アジア以外の紛争で日本人がこれだけ怒るのは初めてです。それは、私たちも「国際町内会の一員」という意識があって、「これは酔っ払いの喧嘩とは違うぞ。社会の秩序を根本から否定する強盗ではないか」と思ったからです。それは、とても大事なことだと思います。

人間は、生きていくために色々なことをします。まず、戦うということをします。そしてお金を稼ぐこともします。儲けないと食べていけないから一所懸命稼ぎます。また、リーダーをめぐる権力闘争というものがあります。しかし、人間に与えられている資質の中で一番大事なのは「あたたかい心」です。これは災害などの困難に直面した時に特に強く出てきますが、この「あたたかい心」が人を動かし、それがあるから人間は協力し合うことができるわけです。この一人ひとりの「あたたかい心」から出てくる力を、大きな束にして、社会全体を動かすエネルギーに転換できる国が生き残ります。この力は、日本では昔から「英気」と呼ばれています。

これに対して「何でも俺の言う通りにやれ」というような独裁者の国は、必ず失敗します。民主国家のいいところは、五年もやっているとトップを変えてしまうことです。権力は、どんな権力でも最初は「みんなのために」と言います。それがだんだん「俺のためだ」と言い始め、そのうちに「何が何でもやめたくない」と言うようになる。こうなると権力が腐る。腐った権力を取り替えるのが民主主義です。

ただし、日本は総理大臣を代え過ぎです。日本政府は、約百兆円の予算があって、六十万人の国家公務員を抱える「大企業」です。社長が来て一年で変わってしまうとしたら、そんな人は社長とは言えません。社長としての試運転期間が終わった頃に出ていくわけですから、何の業績も出せません。総理になったら、社長と同様、三、四年はやらないとダメです。

プーチンは二十二年やっています。ワンマン社長と一緒で、まわりは誰も何も言えません。ものを言う専務がクビになってまわりに人がいなくなると、権力が腐っていきます。プーチンが「二〇二四年に選挙があるから派手なことをやりたい。ウクライナでも攻めてみるか」と言った時に、「それいいですね。ゼレンスキー大統領は所詮喜劇俳優ですから逃げ出しますよ。二、三日で首都キーウも落ちますよ」と言ったお調子者が絶対にいるはずです。しかし世の中、そんなに甘くない。人口数千万人のベトナムは、十年間戦い続けてアメリカを叩き出したわけです。ウクライナには四千万人います。このサイズの国が暴力に易々と屈して人の言うことを聞くようになることなどあり得ません。案の定、プーチンは大失敗したわけです。

こうならないように、同じ独裁国家の中国では、鄧小平が、権力が腐る前に「十年でやめろ」と言ったのです。ところが習近平は「もう一回やる」と言うでしょう。プーチンと同じです。まわりは誰も止められません。早晩、客観的な情報が入らなくなって、「台湾なんてイチコロですよ」などとお追従を言う者が出てきます。台湾も二千三百万の人口です。殴りつけても簡単には言うことを聞きません。習近平は大きく間違える危険がある。私たちはこれから十分注意していく必要があります。

西側はまとまれば強い

アメリカは、かつてはやたらと強い国でしたが、今は周りの国が大きくなったせいで、相対的に弱くなっています。それで、「一人で町内会会長はできないよ。お金もないし」と言っているのが最近の世界の状況ですが、誰もアメリカの代わりをやろうとは思わない。トランプ大統領という個性の強い大統領が出たこともあり、西側の結束は危機に瀕していました。ところが、プーチンのウクライナ侵略によって、西側が大きくまとまったのです。

「西側」というのは、アメリカが四割、ヨーロッパが四割、日本を含むアジアの工業国あたりが二割。国力の基盤は経済力ですが、ヨーロッパとアメリカを足すと、ロシアはその三十二分の一の経済力です。勝てるはずがありません。西側はこれまでアメリカのお世話になっていたわけですが、アメリカを軸に集まってしまうと圧倒的に強いのです。

西側にも問題は多いのですが、生き残った思想が一つあります。それは、フランス革命、イギリスの議会主義、日本では明治憲法――この系列です。アメリカ合衆国憲法もそうです。これはとても単純なことで、人間の社会というものは、一人一人が己の良心に照らして正しいと思ったことを話し合って決めるしかない。「あたたかい心」を持っていれば、必ず団結して困難を乗り越えられる。ルールは話し合いで決める。だから自分の意見を押し付けるな、ということです。また、政府は国民のためにあるのであって、政府のために国民があるわけではない。ここを勘違いするなということです。これが自由主義の根本です。

これは、アジアでは古くから言われていることで、あまり違和感がありません。ルソーを読んだ中江兆民は、「これは孟子と同じだ」と言いました。孟子は「天の声は民の声」と言った人です。吉田松陰も孟子の言葉を引用しているのですが、「天には目がない、耳がない」と言っています。天は民の声を通じて聞いて、民の目を通じて見るんだと。だから「天意とは民意だ」と松陰は言っているわけです。

ところが、中国にはこれができません。なぜなら、マルクス・レーニン主義を取り入れて、孔子、孟子の王道政治を自分で否定したからです。私たちとロシア・中国の間で一番ぶつかっているのは何かというと、一人ひとりの良心を大事にして話し合いで合意をつくっていく社会でいくのか、十九世紀的な発想の独裁社会でいくのかということです。この思想の戦いに負けてはならないし、また、西側がまとまったら絶対に負けないということです。

台湾有事は一年以内に起きるか

私は、「台湾有事が一年以内に起きるか」と問われれば起きないと答えます。そもそも習近平が今、何を考えているかと言えば、もう五年は任期を延長して国家主席を続けたいと考えているに違いありません。

台湾の総人口は二千三百万人、軍隊は二十万人です。台湾には、日米同盟の傘が、しっかりというわけではありませんが、ほんのりかかっています。中国もそう簡単には手出しできないため、すぐには有事は起きないと思います。

ところで、プーチンは二〇二四年に大統領改選選挙を控えています。今回のウクライナ戦争は、選挙前にいい格好をしようとした面もあるように思います。側近のおべっか使いに嘘をつかれて、戦争を始めて大けがをしている。習近平は、ロシアの失態を目の当たりにし、「あれをやってしまったら終わりだ」と思っているのではないでしょうか。台湾もウクライナ同様、一撃で勝てる相手ではありません。ですから、「今はちょっとやめておこうかな」と思うのが普通だと思うのです。

とはいえ、中国は着々と力を蓄えてきており、あと十年でアメリカと中国の経済力は並びます。またアメリカの軍事予算は約八十兆円、一方の中国は約二十五兆円です。しかし、これも今急激に追いついてきています。

ちなみに日本は五兆円です。五兆円で二十五万人の自衛隊を持っており、これは比率だけで言えばＧ７の中で米軍の次に相当します。イギリスやフランスの軍隊は、二十万人しかいません。したがって、日本ももう少し真面目に予算を使えれば、核兵器や空母を持つことですら不可能なことではありません。しかし、予算の多くが人件費に費やされているのが現状なのです。いずれにせよ、英・仏・独・日くらいの軍事規模が、今日の世界の軍隊のスタンダードとなっていますが、中国を相手にこれでは戦えません。岸田総理が五年間で防衛費を倍増して、ＮＡＴＯ並みの

ＧＤＰ比二％を目指すと明言されたのは、大変立派なことだと思います。

しかし、この五倍の予算規模で、二百万人の軍隊を保持しているのが中国軍なのです。習近平は負ける喧嘩はしない人です。これから十年も経てば、中国の国力はピークアウトしていくはずです。やっとアメリカに追いついたその時、「今が最後のチャンスだ」と言い出しかねません。十年後には、習近平もいい歳になっている。今回のプーチンのケース同様、周りはおべっか使いばかりいて、戦いを唆《そそのか》す側近がいないとも限らないでしょう。

国際社会が、台湾問題を本気で議論し始めたのはつい最近のことです。日米間においても、菅元首相が二〇二一（令和三）年四月に、アメリカのバイデン大統領と首脳会談をしてから急激に話題に浮上しました。それまでは台湾問題はある種のタブーになっていました。日米両首脳が台湾問題を話したとなれば、中国が怒るからです。

恐らく、ニューヨークの道行く人に「台湾はどこですか」と地図を渡したら、ベトナムやグリーンランドの位置を指すかもしれません。その程度の認識です。しかし今、西側諸国全体の台湾に対する感度が上がってきています。民主主義体制の台湾を、独裁国家中国が武力で呑み込もうとしているのはおかしいという声が出るようになっているのです。これは、安倍元首相や麻生さんが一所懸命取り組んできた「地球儀外交」の成果です。

ＮＡＴＯが軍事介入したのは、ユーゴスラビアとリビアの紛争の時だけです。これは、同じヨーロッパや地中海の出来事だから介入しているのであって、親戚がやられているような感覚なのです。今回のウクライナに対しても同じような感覚はありますが、ウクライナはＮＡＴＯに加盟していないため、直接は介入せず武器供与だけで今日まで来ています。

台湾史概観

ところが、台湾に関しては、私たち日本人が声を上げなければ、ヨーロッパ人にはサッパリわからないのです。そもそも「台湾ってどこですか」とか、「台湾と尖閣はどちらが大きいですか」というような感覚しか持ち合わせていない。ちなみに、台湾は九州とほぼ同じくらいの大きさです。標高の高い山が多く、中国からは二〇〇㎞も離れています。日本（与那国島）からは一〇〇㎞です。地理的に見ても、そう簡単には攻められません。

台湾は元々マレー系の人々が住んでいた島です。マレー系は、ニュージーランドからマダガスカルまで広がっている海洋民族です。その後、一番初めにこの島にやって来たのは、ポルトガル人でした。

当時のヨーロッパは貧しくて何もありませんでした。まだ新大陸を発見していないのでジャガイモもなければトマトもない、トウモロコシもない。のちに新大陸を発見し、ヨーロッパの外の世界にはいいモノがたくさんあることに気付き、世界中に貿易目的で出向き始めるわけです。これが十六世紀の出来事でした。

そして、当時優れたモノがあるとされていたのは中国、インド、日本でした。これらの地域が他と比較して圧倒的に優れていました。ヨーロッパ人は、陶器、金銀細工、琥珀や象牙などの彫物、お茶……。ありとあらゆる優れたモノを欲しがりました。

こうした世界の大きな流れの中で、台湾にはまず始めにポルトガルが入ってきたのです。ポルトガル人は台湾を「フォルモサ」と称しました。これを訳して、日本名では「美麗島」とも言います。

その後、ポルトガルを打ち負かしたスペインが入ってくるようになり、中国とも貿易を行いました。さらに、スペインを負かしたのがオランダです。オランダは当時やたらと強かった。彼らはカルバン派の新教徒ということもあり、非常によく働く人々でした。彼らの教理では、神様が予定した職業に就いているということになるわけですから、一所懸命お金を稼ぎました。当時、カトリックを奉じていた強国はスペインです。異端審問や魔女狩りをやっていた人たちです。スペインはオランダをいじめましたが、七十年間スペインと戦い続けて独立したのがオランダ人でした。彼らが台湾からスペイン人を追い払い、統治するようになりました。オランダ人は台湾にゼーランド城をつくり、そこを拠点に彼らは商売をするようになります。「ゼーランド」は、もともとオランダの地名です。

では、オランダが統治していた台湾にいつ中国が入ってきたか知っていますか。豊臣秀吉は、朝鮮出兵で明に負けました。秀吉軍は五十万で当時世界最大の軍隊でした。明に勝つことはできませんでしたが、この戦いで明もボロボロになり、その後内部崩壊しました。

すると、満州族が中国大陸を支配するようになり、追われた明の残党が逃げ込んだ先が台湾だったのです。この時、明の王子が台湾に逃げるのを助けたのが鄭成功《ていせいこう》という人物でした。この人の母親は日本人です。この一連の歴史を浄瑠璃にしてヒットしたのが、近松門左衛門の『国性《こくせん》爺合戦《やかっせん》』です。「国性爺」とは、鄭成功のことです。

　こうして、台湾は中国領になりました。さらにその後、台湾に逃げた明の残党を清が追いかけてきたため、十七世紀後半からは清が台湾を統治するようになりました。しかし、清は元々馬賊なので台湾に対して、何の関心も持ちませんでした。当時の台湾は気候も蒸し暑く、マラリアなどの伝染病が流行っていました。

　こうした悪環境を改善したのが、日本統治時代でした。ダムの建設、河川の整備などを行い、重工業を持ち込みました。教育にも力を入れ、台北帝国大学を一九二八（昭和三）年につくりました。大阪帝国大学が一九三一（昭和六）年、名古屋帝国大学が一九三九（昭和十四）年ですから、台北大学の方が早くできています。

　このことからもわかるように、日本の植民地政策は特殊です。日本は近隣国を植民地にしたため、本土の延長のような統治形態になりました。対するヨーロッパ人は、地球の裏側のアジア、アフリカに植民地をつくりました。彼らは奴隷労働をさせるわけです。日本は内地を延長させたような感じになるので、技術者を送り込み、重工業まで持ち込んだ。そんなことをしたのは日本だけです。

　一九三〇（昭和五）年に霧社事件という事件が起こりました。日本統治に反発した現地の人々による反乱でした。すごく勇敢で日本も手こずりました。大きな反乱はこれ一回だけです。

　そして敗戦後、今度は蒋介石軍が入ってきます。台湾の人は驚きました。なぜなら、中国人は電気も水道もわからない人々だったからです。「何で壁から水が出るんだ」と怒ったかと思えば、今度は蛇口を買ってきて水が出ないと怒っている。電気が光っていることに怒る。その姿に台湾人はショックを受けたのです。

蔣介石の台湾統治は酷いモノで、耐えかねた台湾人は一九四七（昭和二十二）年二月二十八日に反乱を起こします（二・二八事件）。蔣介石軍はこの時に二万人もの人々を殺しています。これはずっと秘密にされてきて、民主化後に表に出てきた史実です。日本統治下では重工業が進み、李登輝元総統のような京大農学部に進むような人物も出てきた。それが蔣介石が入ってくるや、いきなり五十年くらい前に戻ったような感じになり、日本統治下で進んだ経済発展も止まりました。その後、経済発展するのは三十年後の蔣経国の時代からです。

一九九六（平成八）年に李登輝が初めて総統選挙をやると言い出しました。台湾総人口のうち、国民党側は十五％しかいません。残りの八十五％は土着の台湾人（本省人）です。国民党は独裁によって成り立っているわけですから、選挙なんてやったら負けると誰もが危惧しました。

しかし、李登輝は天才です。「私はここで生まれた人間だ。台湾は台湾人のものだ」と言いました。これが爆発的な人気を呼び、彼は選挙に見事勝利して台湾の総統に就任しました。その直後、中国は台湾沖にミサイルを撃ち込みました。

中国からすると、台湾が中国から離れていくことは絶対に許せない。中華五千年の栄光という輝かしい民族の歴史を標榜して、国内をまとめていきたい。

中国共産党の栄光の最終章は、やはり台湾併合に帰結します。習近平は何が何でも台湾併合を諦めるとは絶対に言えないのです。長年、「台湾併合は国是である」と言っているうちに、どんどん本気になってきて、今に至っている。

歴代の指導者の中で、毛沢東と習近平は極めて視野が狭いと言っていいでしょう。鄧小平や劉少奇は留学経験があります。蔣介石は日本陸軍士官学校の予備校で学び、士官学校には受からなかったが、日本陸軍の軍人を経験しています。しかし、毛沢東や習近平にはそういう海外経験がありません。だからすごく視野が狭いのです。

習近平は文化大革命の真っ最中に学齢期だった世代です。というよりもそもそも教育がなかった。彼には自由主義の価値がわかりません。自由主義を理解できず、力を信奉する国家と日本は対峙していかねばならないのです。

世界を背負うリーダーに

私が若い世代の皆さんに、一番言いたいことは、まずもって日本人というのは素晴らしい民族であるということです。誇りを持ってほしい。

私自身、学校教育で「日本人は散々悪いことをした」と教え込まれました。それに対して、「本当なんだろうか」とずっと不思議に思っていました。日本はたしかに先の大戦に負けましたが、六〇〇万人ものユダヤ人市民をガス室でジェノサイド（大量虐殺）したナチスのような悪い国だったのかといえば、決してそんなことはありません。私たち日本人は明治以降、議会を開設し、天皇を中心にしながらも西洋の政治制度を取り入れて、日本型の民主主義国家をつくってきました。

その後、先の大戦で敗戦という大きな痛手を被りましたが、しかし結局のところ、私達の先人がつくりたかったのは今日のようなみんなが自由で平等な世の中だったのではないでしょうか。大戦当時、日本周辺の国々はどこも植民地ばかりでした。それがいまやどうですか。植民地支配も不当な人種差別もなくなりました。アジア人が西洋人から奴隷のように働かされることもありません。一人一人の意見が尊重される平等な社会が実現しています。

途中で様々な間違いがあったとしても、現在の世の中は日本が明治の頃から求めてきたものでした。人種差別を撤廃し、アジアを解放して平等な世の中を実現したい――これは、私たちの祖先が求めてきたことそのものです。私たちがいま日常的に行っている議論は、世界標準のものばかりです。だから、若い方々も世界中の人々と議論するとき、自らの良心に従って、堂々と胸を張って自分の思っていることを言えばいい。何も恥ずかしいことはありません。日本という国は、世界中から一目置かれ尊敬されています。

そして、皆さんには日本を背負うだけではなくて、世界を背負うリーダーになっていってほしい。特別なことを考えたりする必要はありません。「俺はこう思う」「そうは思わない」――胸に手を当てて、良心に照らして、自分の考えを率直に述べればそれでいい。

そして、一人一人の意見は違うかもしれないけれども、世界の人々と力を合わせ、協力してやりましょうと言っていればいい。苦しいことがあったら皆で知恵を出し合って、乗り越えるだけです。そこには、肌の色や経済力、男女の別などは関係ない。日本人はそうした分け隔てない感覚を昔から大事にしてきた民族です。今日の日本人は、そのまま世界に通用します。

自信をもって、堂々と胸を張って、一流の国際人になってほしいと思います。

ウクライナ出身のナザレンコ・アンドリー氏には、緊急提言としてロシアと戦う祖国の現状を語っていただきました。本書では、質疑応答における発言を掲載させていただきます。

○ 質疑応答

Q1 ロシアの侵攻に対して、「国連の常任理事国に対する非難決議をやるべきだ」と岸田首相が発言しました。中国の脅威についても、日本から世界に発信すべきだと考えますが、いかがでしょうか?

兼原 「安保理」は、手続き規則の中に拒否権が記されているので、五大国を非難する決議は通りません。だから「総会」で非難決議を出している、ということだと思います。

ロシアは本物のヤクザのように全力で殴ってきますが、中国は自分より小さな国にわざとぶつかったり、こづいたり、チンピラみたいないじめ方をします。こういう棍棒外交に対して、「中国はおかしい」と言っていく必要があります。日本だけではなく、オーストラリアやアメリカやヨーロッパの国々など、いろいろな国が「おかしいものはおかしい」と言い始めました。驚いたことに、リトアニア、スロベニア、チェコといった小国も、きっと昔スターリンにいじめられて独裁国家が大嫌いになっているからだと思いますが、中国批判を始めました。国際社会が声を上げることは、とても大事なことです。

アジアで中国に物が言えるのは、日本ぐらいしかありません。韓国も中国が怖いからあまり言えない。日本は大きな国なので、責任を持って発言することが必要だと思います。

アンドリー　かつての国際連盟は、機能しなかったせいで崩壊してしまいましたが、今の国連も最終的には同じ運命になるのではないかと考えています。

ヨーロッパの関心はほとんどヨーロッパに集中しているので、ヨーロッパの中国に対する圧力は弱くなっている気がします。一番中国の危険にさらされているのは台湾ですが、日本も同じくらい危険な立場にあると思います。当事者としてしっかりと声を上げないと、ヨーロッパの関心はどんどん薄くなっていきます。日本でも「ロシアを追い込むためには中国の協力が必要で、中国に経済協力すべき」と言う人がいますが、中国の危険性を身を以て感じていないヨーロッパではなおさらです。

祖国ウクライナの現状を語る
アンドリー氏（令和４年３月）

アジアにおいてリーダーになり得る国は、経済的、技術的、軍事的、いずれの面でも日本しかないので、日本が責任を持って対中非難をして、国際社会を団結させないと、中国はどんどん暴走してしまう恐れがあると思います。「何とかなる」「アメリカがいるから」ではなく、日本は自らの国益を守るために、対外的な情報発信と経済的、軍事的対策を積極的に取らなければならないと考えます。

Q2　ウクライナに対して、日本政府から防弾チョッキやヘルメットなどを支援物資として送りましたが、武器など、もっと役に立つものを送ることはできないのでしょうか？

アンドリー　ウクライナにとって一番必要な支援は、戦闘機と地対空ミサイルです。ウクライナは元々陸軍は力があったのですが、空軍と海軍が弱くて、侵略が始まった時に空軍の基地を集中的に狙われて、多くの戦闘機を失いました。戦争が始まってからは、ＮＡＴＯに対して飛行禁止区域を設置してくれとお願いしましたが、拒否されました。飛行禁止区域を設置できないのなら、私達がやるから、そのための道具を与えてください、とゼレンスキー大統領はずっと言っています。

それを日本が提供できるかといえば、そうでもありません。なぜかというと、ウクライナ軍とロシア軍が使っている兵器の七割ぐらいは同じで、ソ連製のものがほとんどです。ウクライナにそれを提供できるのは、ポーランド、スロベニア、ブルガリアといった旧東側の国になります。スロベニアでは、アメリカがスロベニアにパトリオットというミサイルを用意して、スロベニアが保有しているＳ３００というタイプのミサイルをウクライナに提供する、という動きが出てきています。

日本は防弾チョッキを送ってくれましたが、それに対してなんと共産党の人たちは「武器提供にあたる」と発言したのです。日本にはそういった非常識な人々がいるので、何を提供できるかを判断するのは難しいと思います。防弾チョッキですら武器扱いするのであれば、それ以上のものはもっと騒ぐでしょう。日本の場合は、法律と別に、一部の声の大きいマイノリティが政府の足を引っ張るので、ウクライナへの復興支援やロシアに対する経済制裁の方が、ウクライナの役に立つのではないかと考えます。

当初、多くの米国企業が自発的にロシアから撤退しようとしていた時に、日本の多くの企業は経済協力を続けると言っていたので、武器を提供していただかなくても、民間企業のロシアからの撤退、天然ガスを輸入しないという決断、ロシアの銀行に対する経済制裁などでも十分ではないかと考えます。

兼原　日本の武器輸出については、もともと一九六七（昭和四十二）年に佐藤栄作総理が「国連決議に反して戦争している国には武器を送らない」と言い、その後一九七六（昭和五十一）年には、三木武夫総理が「誰にも武器を売らない」と言いました。それで、つい最近の安倍晋三総理まで、アメリカにも売らないし、侵略される国も助けないということにしてきました。どこかで話がおかしくなっていたのです。

かつての国際社会では、戦争を行うことは自由でした。それをやめようと言ってできたのが国連憲章です。国連ができてから、みんなで良い方は助け、悪い方は制裁するというようにルールが変わってきたわけですが、日本だけが「私たちはどちらにも武器は売りません」と言っている。これはおかしなことで、やられている方を助けるのは当たり前です。

今回の防弾チョッキの対ウクライナ輸出も初めてのことでしたが、それ以外に日本が出せるかというと、出せるものはあまりありません。三木総理の完全武器禁輸政策を数十年もやっているので、輸出のできない日本の防衛産業はボロボロなのです。残念ながら出せるものは限られています。恥ずかしながらせめてこのぐらいはと言って防弾チョッキを出したのだと思いますが、これまでの経緯からすれば、よくやったと思います。

これから本当に侵略された国に武器提供をしようとするのであれば、きちんと武器をつくって同盟国に売るということをやらなければダメだと思います。韓国はこの十年間で、中国を除いたアジア最大の軍需産業国家になりました。日本だってやればできるのです。ところが、日本では、逆に重工業も中小企業も防衛産業をやめたいというのが本音です。輸出できないからスケールメリットが働かず、儲からないから。これは根本的に間違っています。正しいことをしている国、侵略されている国に武器を売る、同盟国に武器を売るのは当たり前だ、というように頭を切り替えないといけないと思います。

Q3　日本の安全保障を考えるうえで、現行憲法にどのような問題があるとお考えですか?

兼原　憲法九条二項が最大の問題です。条文を素直に読めば完全非武装条項ですから、丸裸ということになります。しかし、これではだめだということで、最高裁で砂川判決が出て、戦後日本は九条二項に解釈を加え、自衛隊を動かしてきました。

小渕政権時代（一九九八～二〇〇〇）、小渕首相はいざというとき、日本も米軍を助けるべきではないかと言い出しました。戦闘行為以外の兵站分野で米軍を助けるようになったのは、小渕政権以降のことです。

その後、安倍総理が出て来て、さらに踏み込んで集団的自衛権の議論を始め、安保法制を成立させました。これによって安全保障関係が大きく変わりました。

国際情勢は憲法制定時から激変しています。北朝鮮、中国、ロシアなど、日本周辺の国々は飛翔距離二千～三千㎞のミサイルを保有しています。日本だけが二百㎞です。

さすがにこれではだめだということで、千㎞射程の短距離ミサイルを安倍政権時代に購入しました。しかし、このミサイルは敵の上陸時に用いるものということになっています。つまり、北朝鮮が佐渡に上陸してくるまで撃てない、という話になってしまいます。いくら装備を整えても、いまだにこんなおかしな議論が普通にまかり通ってしまっています。

自衛隊は日々訓練を積み重ねており、いざというときに戦う備えはとれています。しかし、自衛隊を動かす肝心の政府の方はまだまだ準備が万全ではありません。最近はアメリカも疲弊してきていて、自分の国のことは自分でやってほしいと思い始めています。国家にとって、戦争は最大の危機管理です。地震はそのうち収まりますが、戦争はひとたび始まればどちらかが降参するまで終わりません。ウクライナの戦争を見ればわかるように、際限なく人が死んでいくのです。

日本の危機管理体制は、決して他国に見劣りするものではありません。地震対応はものすごくスピーディです。震度六クラスの地震が起きれば、霞ヶ関の主要な局長は二十分で集まります。

コンピュータを駆使すれば、どれくらいの件数、停電しているかは瞬時にわかります。しかし、どの家で誰が身動きがとれなくなっているかまではわからない。

そこで、自衛隊員や機動隊員を出動させて、家々をめぐって探し出すわけです。これは世界でも有数の優れた防災システムだと思います。このように機能しているのは、日本では毎年のように地震が起きているからです。新型コロナウイルスのようなパンデミックは約百年ぶりでした。戦争は七十五年間やっていません。だから、もしそういった事態になっても、地震対応のようにはいかないかもしれない。筋肉と一緒で、使っていないといざというとき動きません。

憲法九条の問題、そして自衛隊を縛っている様々な法律を見直し、いざというときの備えをさらに整えていかなければ、日本を守ることはできません。

第6章

安倍総理が描いた日本の未来

安倍元総理の外交スピーチライター　谷口　智彦

第6回 TOKYO 憲法トークライブ
（令和5年3月25日）

安倍総理が描いた日本の未来

谷口　智彦（安倍元総理の外交スピーチライター）

安倍さんがいない日本

あの人がいないということに、私は未だに気持ちが追いついていません。まだまだ日本を率いていかなくてはならない、その人がどうしていないのか。去年の七月八日以降、私は映像等で生きて躍動している安倍晋三の姿を正視することができません。この人の命を奪った全てのものに対して、私は憤りを禁じ得ません。

昭恵夫人は、安倍さんが大和西大寺という古のゆかりの深い橿原神宮のそばで、選挙のキャンペーン中に斃れたのは何かの運命の為せる業だと言って受けとめようとしていました。いまわの際で、安倍さんは何を考えたのか。私には知る術もありませんが、何とか元気で活力に満ちた日本が続いていきますようにと最期の最期まで思っていたに違いありません。

三十年後、私は九十五歳です。今から三十年先の未来に責任が取れるとは思えません。しかし、三十年後にも日本は立派に立っていなければなりません。これから先の三十年は非常に難しい時期になります。

皇統断絶の危機

第一に皇統が続くのかという難題があります。『安倍晋三回顧録』（中央公論新社）という本があります。ぜひ皆さんもお読みになることを勧めます。図書館などで借りてはだめです。必ず自分の本棚に立てておかないといけません。何度も繰り返し読まないといけない本だからです。皆さんが政治のニュースをただ傍観者として見るのではなく、「自分だったらどうするだろうか」という主体性を持って見ようと思うなら、この回顧録はとてもいい教科書になります。

回顧録の中にこう書いてあります。「安定的な皇位継承としては、男系男子の旧皇族に現皇族と養子縁組して、皇籍復帰してもらうのがいいと思います」と。これは有識者が提案した皇統の維持に関する一つの提案ですが、安倍さんの遺言であると私は思います。世界で最も古い家系をどう維持するか。世界を見渡せば古くから続く家系は多くありますが、日本の皇室が連綿と続いている家系であることは疑いようがないことです。最近の遺伝子研究によると、男系の染色体というのはずっと辿ることができるそうです。科学的視点からも、「万世一系」で続いてきたことが証明されているのです。皇室は、二千年以上続いているので、モダン・インスティテューション（現代の制度）と殆ど縁がありません。民主主義やジェンダー・イクオリティ（男女同権）とも関係ありません。ただ古いから、何とか維持していきたいという合意が取れるかどうかなのです。

「なぜ女系天皇ではだめなの？」と思う方もいるかもしれません。だめとか良いとかいう話でもないのです。まだお元気だったころの安倍さんと、この問題について話した時に、大事なのは男系染色体ではないと仰っていました。男系の子孫を草の根を分けてでも辿り、「万世一系」を何とか維持してきた当時の人々の気持ち。絶えそうになった皇統を必死になって守ってきた日本人の営み。その集積が大切であると。それを自分の代でおしまいにしていいのだろうかと。安倍さんはそのように仰いました。ここにお集まりの皆さんは頷いてくれるけれども、世間は簡単には頷いてくれません。この問題を解決するためには、同じ志を持つ人達がまとまって、しっかりと肚を据えて取り組まなければなりません。これが一点目の国難です。

中国による台湾統一の危機

二〇四九年。これがどれほど重要な年か、考えたことはありますか。中国建国百周年です。今の中国をつくった共産党の指導者・毛沢東は、一九四九年秋に天安門で中華人民共和国の建国を宣言しました。それから百年。この百年の間に経済力と軍事力、レピュテーション（名望）を兼ね備えた、比類のない大国になるというのが中国の夢です。そのために欠かすことのできない最後のピースとは何か。言うまでもなく台湾です。

仮に平和的に、中国が台湾を統一したとします。その時、世界のほとんどの国は恐らく「しょうがないね」と言って黙認するでしょう。我々日本人はそれでいいのでしょうか。台湾が中国のものになってしまえば、横須賀や佐世保のアメリカ海軍は、台湾の周辺で、もはや活動することができなくなります。日本の自衛隊だってそうです。日本は海とその上空、つまり入口を塞がれた出口のない袋小路のようなところに追い込まれてしまう状況になりかねません。そして同時に、中国は様々なインフルエンス・オペレーション（世論操作）をするでしょう。これは、今でもやっています。

関連して、中国企業が運営するＳＮＳアプリ「ＴｉｋＴｏｋ」による情報漏洩の危険性が問題になっています。国営企業に限らず民間も含めた全ての中国企業は、経営陣の中に共産党員がいます（『会社法』第十九条）。そうでなければいけないのです。また、中国共産党は規約によって、三人党員がいたら、支部をつくらなければならないことになっています（『中国共産党規約』第二十九条）。外国にいようが国内にいようが関係ありません。つまり、中国の民間企業はガバナンスの構造が二つあります。一つは、我々日本企業と同様に、株主総会において経営方針等の意思決定を行う仕組みです。もう一つが共産党です。共産党委員会の意向抜きに重要人事などできません。これが中国の企業です。つい先日、アメリカの下院エネルギー・商業委員会で開かれた公聴会で、ＴｉｋＴｏｋのＣＥＯ（最高経営責任者）が必死に弁解していました。しかし、中国の民間企業の仕組みを知る者からすると、どれほど弁解しようと、なかなか通る話ではないのです。

仮に台湾が平和的に、銃や砲火の一発も飛び交うことなく、中国のものになったとしても、それでいいことにはなりません。例えば、朝日新聞、毎日新聞、ＴＢＳといった大手メディアの社長や、東大、早稲田、慶應の学長が、中国に対して何一つ批判ができないという世の中に、私は暮らしたいとは思いません。中国に対して、ことさら悪口を言えと言っているのではありません。物事の良し悪しについて、自分の意見を好きなように言える国でありたいのです。そのような国でなくなる未来は、絶対に皆さんの将来に訪れてほしくありません。安倍さんもそう思っていたでしょう。

中国による台湾統一をどうすれば阻止できるか。日本一国でできることはほとんどありません。そうなると、地道に布石を打つしかないのです。これからは、いかにしてその布石を打つかということをお話しします。

一つはジオポリティカル（地政学）。世界を俯瞰する見方です。もう一つは、この国を背負っていかなければならない総理大臣はどこに目を付けるべきか、その目の付け所です。皆さん、傍観者としてではなく、「いつかこの国を何とかする」という主体者として聞いてください。

欧米諸国が気付いていない中国の大きさ

thetruesize.comというサイトがあります。このサイトでは、皆さんが小学校の頃から慣れ親しんでいるメルカトル図法を超越して、世界各国の実際のサイズ比較ができます。メルカトル図法だと、例えばグリーンランドやロシアなどの緯度が高い国がとても大きく見えます。確かに大きいですが、それは絵の描き方がもたらす錯覚で、あの地図で見えるほど実際は大きくありません。

図1は中国をヨーロッパに重ねた地図です。ご覧の通り、今戦争中のウクライナ、ロシアの西半分、トルコのような大きな国も、フランス・ドイツは言うに及ばず、全部中国の領土に収まってしまいます。このサイズ感をヨーロッパの人はまだ理解できていません。

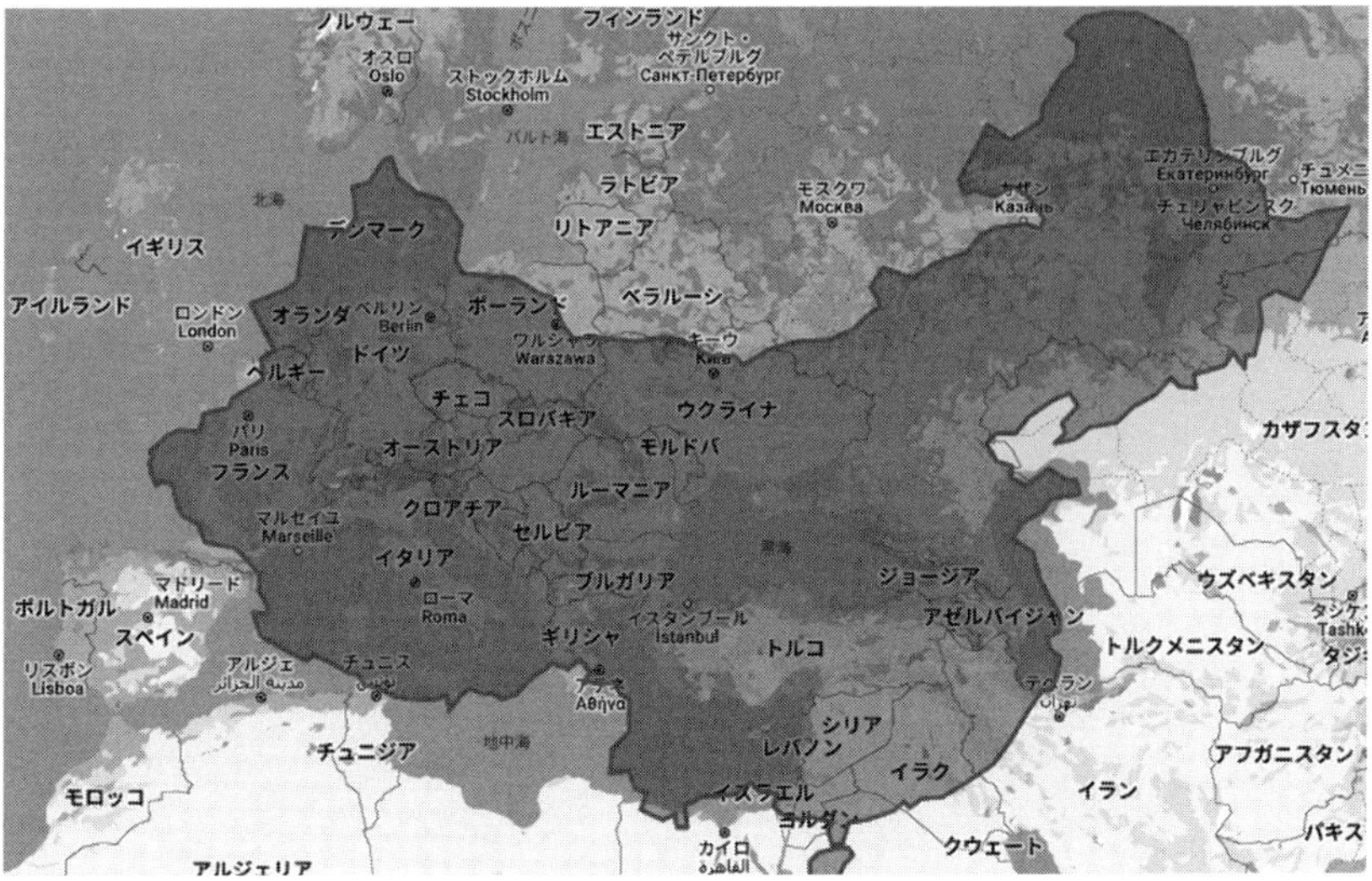

図１　中国の領土をヨーロッパに重ねた図（thetruesize.comにて作成）

図２　中国の領土をアメリカに重ねた図（同）

私は、イギリスから来るお客さんにこの図を見せて問いかけます。「ヨーロッパがこのような状況に置かれていたら、あなたにどのような外交ができますか」と。イギリスは伝統的に、ヨーロッパの中のどこかの国と組んで、他国に対抗する外交をおこなってきました。しかし、この地図のような状況では、中国しかいません。日本が置かれている状況を想像してみてくれと言います。

第二次安倍政権の時、中国を警戒する話をすると、「お前はナショナリストだろ」などと言われました。オバマ大統領（当時）にもそのような目で見られたのです。それからしばらくして、ようやく世界が中国の潜在的脅威に気付き、関心を払うようになりましたが、中国がここまで大きいというリアルな実感は、ヨーロッパの人にはまだありません。

図2はアメリカに中国を重ねてみたものです。アメリカ人ですら、これほど大きいとは恐らく思っていないはずです。技術、ＡＩ、宇宙開発、それから量子工学でも、中国は今アメリカにほぼ並ぶ力を持っています。向こう数年の内に軍事力で、アメリカを凌駕するかもしれません。アメリカも近年、急に警戒し始めているけれども、ここまで大きいという感覚は恐らくアメリカ人にもないでしょう。

これが、日本がずっと付き合ってきている中国のサイズ感であり、近年は益々成長しています。その成長ぶりについてホットなところを言いますと、自動車の輸出で、中国は日本を抜いて、恐らく今年中に世界最大の自動車輸出国になります。しかも、中国の場合はガソリン車と電気自動車の両方を持っています。ガソリン車は安いので、チリなどの少し貧しい国でもよく売れています。電気自動車は脱炭素化最先進国ベルギーなどで売れています。そして、電気自動車にとって最も大事なものはバッテリーです。自動車に積むバッテリーも大きなものでなければなりません。この大きなバッテリーで、中国は既に世界の六割のシェアを持っています。日本においても、三菱の「アウトランダー」というプラグインハイブリッド自動車のバッテリーは中国製です。

日本は洋上に浮かぶ巨大な島

では、日本の面積はどれほどでしょうか。図３は、日本列島をヨーロッパの西海岸に重ねたも

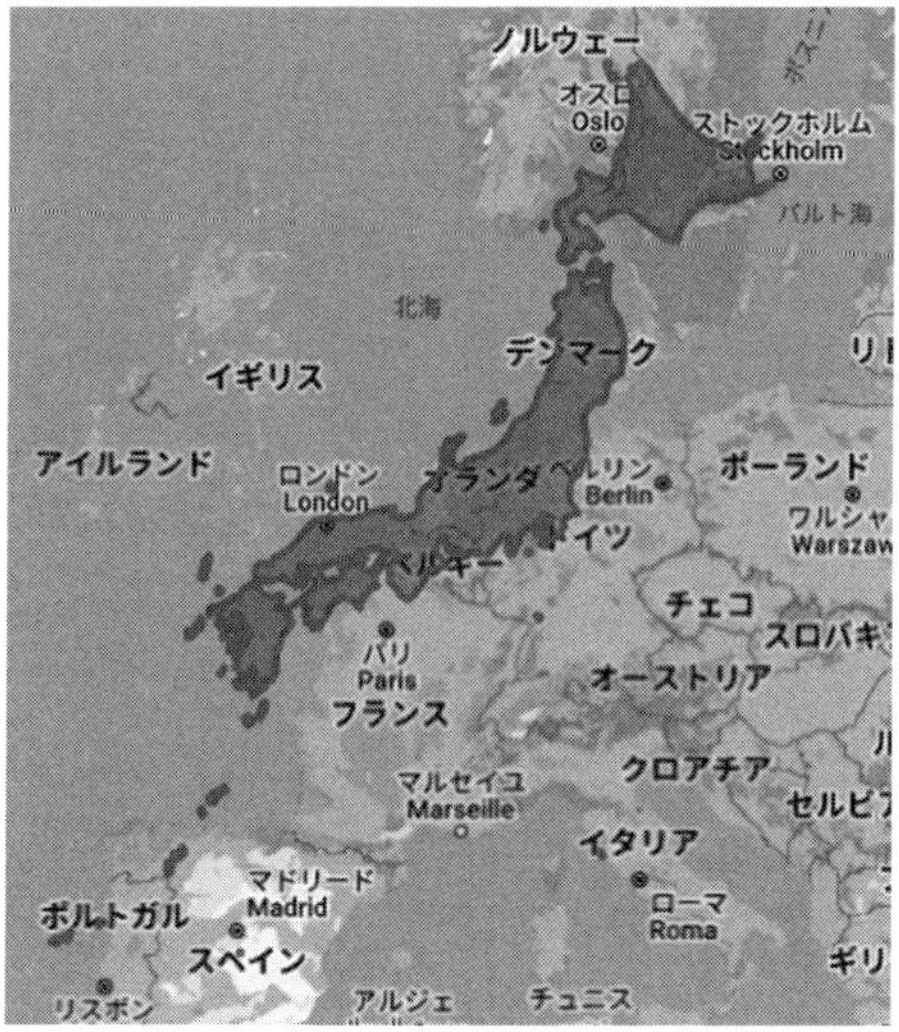

図３　日本の領土をヨーロッパに重ねた図（同）

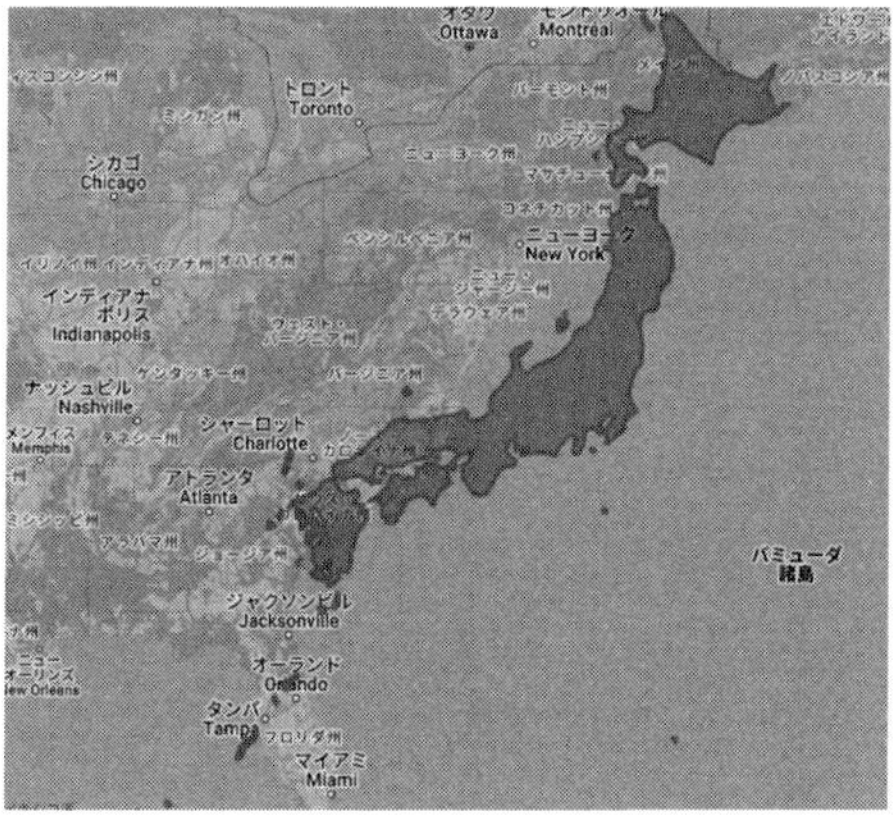

図４　日本の領土をアメリカに重ねた図（同）

のです。北の端の稚内あたりがノルウェー、沖縄あたりがポルトガルのところまで伸び、非常に長いです。ヨーロッパの海岸は、ノルディックの地方から南ヨーロッパまで、全部日本が覆います。この意味するところは、日本は非常に大きい島だということです。

図4では、日本をアメリカの東海岸に重ねています。一番北の稚内あたりはカナダのノバスコシア、沖縄列島はメキシコ湾の真ん中まで及び、アメリカの東海岸全部を覆うほどです。

これが、日本のＥＥＺ（排他的経済水域）の面積が世界で八番目（ウィキペディア参照）である理由です。ＥＥＺとは、自国から二〇〇海里の範囲内において、その国が経済活動の権利を専有する区域のことです。日本は世界八位で、中国より大きい。ちなみに、世界一位はフランスです（同）。ニューカレドニアやタヒチといった島々を太平洋、インド洋、それからカリブ海にも領有しているからです。

日本の広いＥＥＺの警備を担当しているのは、海上保安庁です。パトカーが新宿の街を走るように、海上保安庁はＥＥＺをパトロールしています。しかし、これだけ広いＥＥＺを守らなくてはならない海上保安庁の予算は、東京消防庁の予算よりも少ないのです。安倍政権の間で一所懸命に働きかけ、海上保安庁の予算を増やしたのですが、それでも下回っています。

世界の秩序を守る四角形「ＱＵＡＤ」

図5では、日本列島が逆さまになり、下に二つのピンが付いています。左側がウラジオストクで、ロシアの海軍基地の所在地です。右側にあるピンは青島で、中国の海軍基地の所在地です。

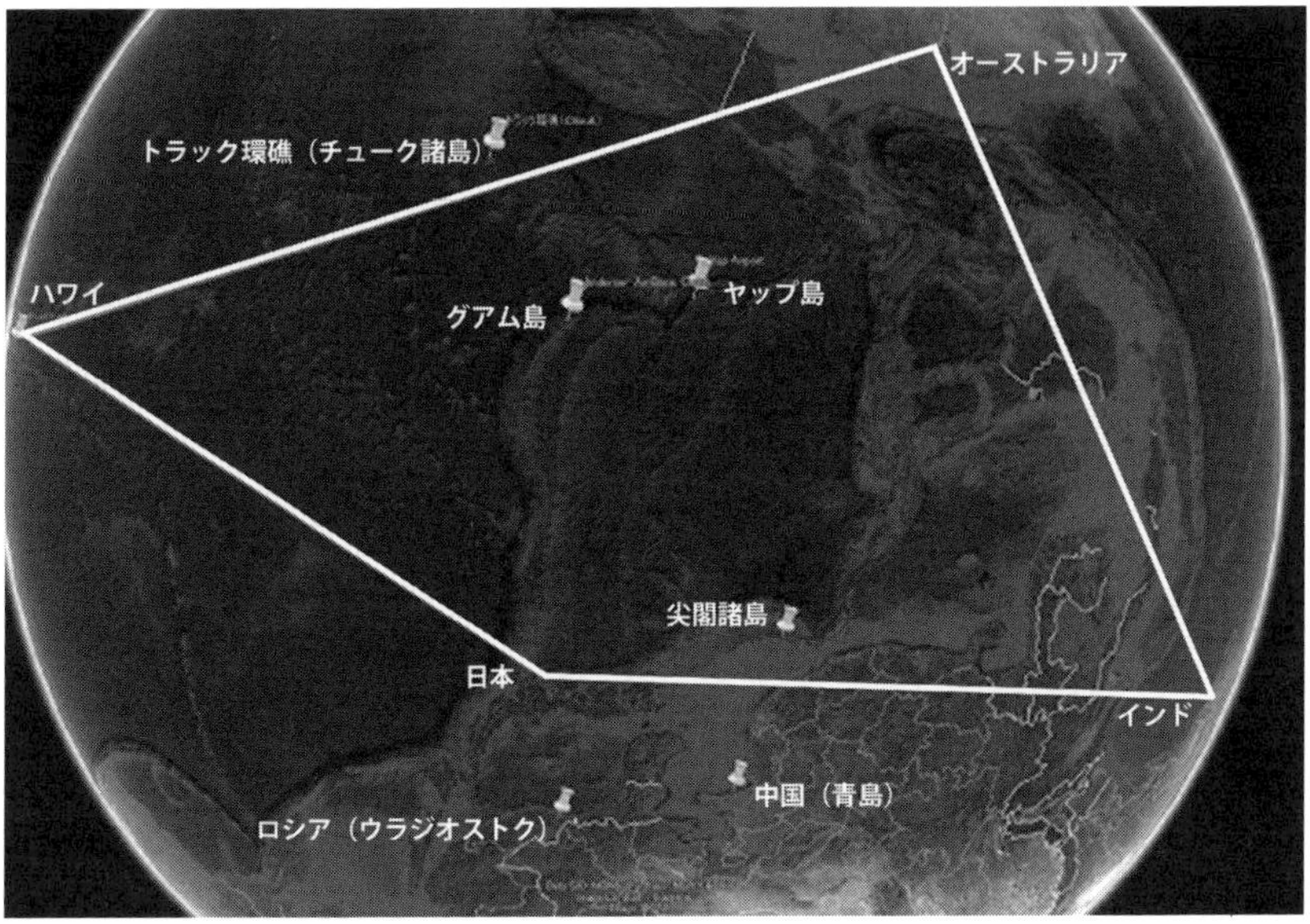

図５　日本（下）、ハワイ（左）、オーストラリア（上）、インド（右）を結ぶ四角形を中国側から見た場合の図（GoogleEarth から作成）

その上のピンは尖閣です。皆さんにお見せしているのは、「ＱＵＡＤ」の地図です。ＱＵＡＤとは、自由や民主主義、法の支配といった価値を共有する日本、アメリカ、オーストラリア、インドの四か国による戦略的な枠組みを指します。一番左がハワイ、伸びてきたところに日本が逆さまになった形であります。一番右の端がインド、一番上の端がオーストラリアです。これは、安倍さんが提唱したＱＵＡＤを中国から見た場合の地図です。中国にとっては大変うっとうしいでしょう。

海は水深によって色の濃淡があり、中国の近くの海は淡いブルーで、水深が浅いことを示しています。しかし、沖縄を越えると濃いブルーで、深い海であることを示しています。水深が浅い地点で潜水艦を動かせば、あっという間にわかってしまいますので、中国は潜水艦を動かすために、もっと深いところに行く必要があるのです。しかし、ＱＵＡＤがあることによって、阻まれてしまいます。

このＱＵＡＤの中に二つピンがありますが、左側はグアム、右はヤップです。中国はヤップに大量のお金をつぎ込み、世界一のゴルフ場やホテルをつくろうとしました。その一歩手前で、ヤップの人達は異様さに気付き、計画は取りやめになりました。もしヤップが中国の島になってしまえば、すぐ隣にあるグアム島が危機にさらされ、覇権主義的な影響力が拡大します。したがって、この四角形はインド太平洋の秩序にとって、とても重要なのです。

図６のＱＵＡＤの見方は私しか示していません。北極から見た四角形です。この場合、一番左下が日本。一番上はイギリス、右がカナダで、一番下がアラスカです。アメリカ、カナダ、イギリス、日本。この間を結ぶと、ちょうど北極海が入ります。

これからの時代、皆さんにとって北極海ルートは非常に活発な交易の海になるはずです。今後、ロシアがどのような国になるかにもよりますが、南回りで延々とスエズ運河を通ってヨーロッパに行くよりも、こういうルートを通っていく方がすごく近く、ヨーロッパとアジアを速く結べるからです。これから先、北極の氷が解けてくれれば、ますます現実味を帯びてきます。

ＱＵＡＤの四か国が手を組み、海と空の安全、何よりも秩序を確かなものにしていけば、北極海ルートも日本はしっかりと守ることができます。その際に最も肝心なことは、「この地域の秩序は自分達で守ろう」という主体性です。この主体性に非常に富んでいたのが安倍さんでしたので、もし存命なら、「もう一つのＱＵＡＤ」という話をしただろうと思い、この図を用意しました。

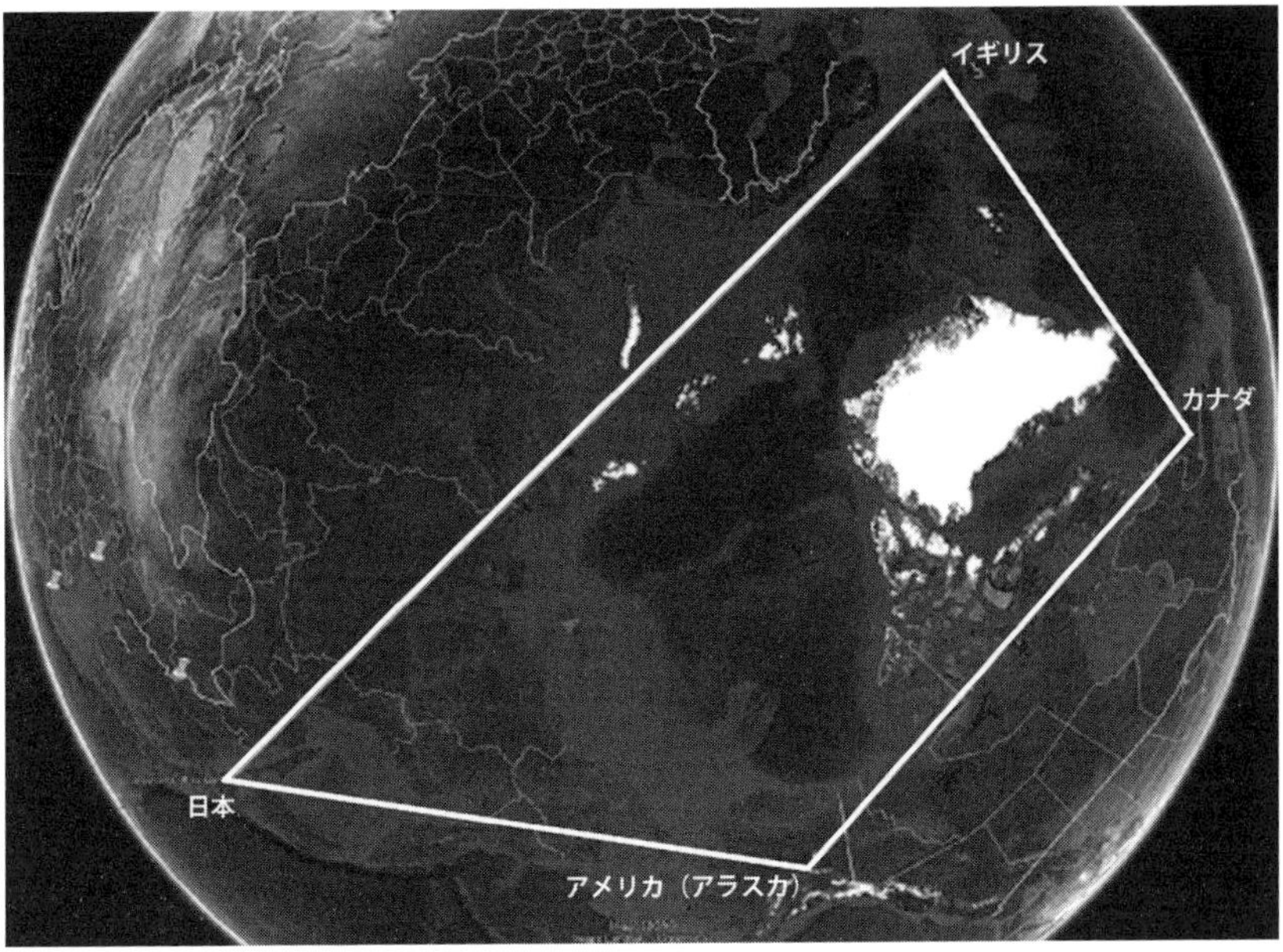

図６　日本（左）、イギリス（上）、カナダ（右）、アメリカ（下）を結ぶと北極海を囲む四角形ができる（同）

秩序とは、誰かがこしらえたものを「ありがとうございます」と受け取るものではないのです。

安倍総理が見ていた日本の現実

図7は、日本の国家予算の円グラフです。日本の国家予算は、トルコやサウジアラビアのＧＤＰより大きいことから「やっぱり日本って豊かなんだね」と思うかもしれません。ところが、その中の七割はにっちもさっちもいかないのです。理由の一つは「国債」。日本には、発行した国債は六十年で現金償還しなければいけないというルールがあり、毎年毎年、利子に加え、元本の返済もしなければいけません。二つ目は「地方交付税」。一旦徴収した税金を地方に分配しているわけです。東京都だけ別ですが、

どの道府県も国から地方交付税という形でお金をもらわないと財源が十分でありません。国債の償還も減らせなければ、地方交付税も減らせない状況です。

何よりも減らせないのは「社会保障費」です。これから先、少子高齢化によって益々増えていきます。これら三つで約七割を占めてしまうのです。先ほど、海上保安庁の予算を増やしたいという話をしましたが、この円グラフの中のたった三割の中で、海上保安庁の予算を増やさなければならないのです。その他、子育て、教育、科学研究費など、予算を増やさなければならない分野は多くありますが、全て三割の中でやりくりしなければいけないのです。

そうすると、経済で一番大切なことは、岸田総理が政権発足当初に言った「分配」ではなく、「成長」だとわかります。世の中、「これ以上成長しなくていい」という人がいます。「これ以上ガツガツしてどうなるの。環境を壊し、CO_2を出すだけ。もっと落ち着いた暮らしができるといいよね」と。しかし、成長しなくては教員の給料や警察官、自衛隊の人々の給料も伸びていかないのです。自衛隊は今でも人が少なくて困っています。倍の人員を雇いたいと言っても、予算がなければどうすることもできません。

つまり、経済を成長させなければならないのです。総理大臣なら、この円グラフを見てそう思わなければなりません。日本の国家予算がいかに窮屈なのかを示しています。

日本最大の産業は「社会福祉」

図8は、社会保障費のグラフです。日本の社会保障支出は百三十一兆円です。これだけ多くの

お金を日本は社会保障に使っています。お年寄りばかりに使っているわけではなく、赤ちゃんの医療や子育てのためにも使っています。それから、全て政府のカネでまかなわれているわけでもありません。例えば健康保険では、会社に勤めると皆さんの負担額と同じ額を会社として負担し

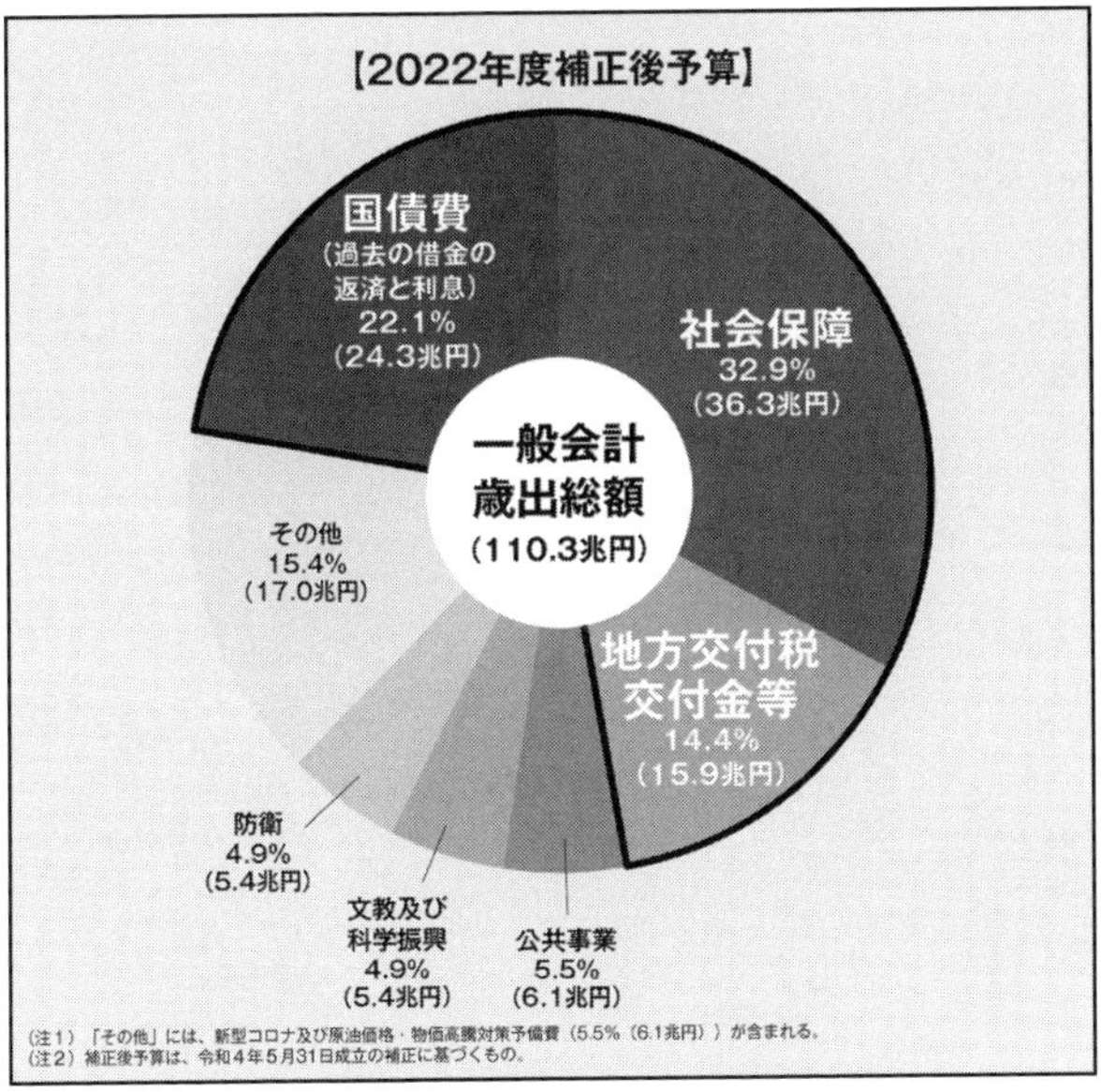

図７　令和４年度補正後予算一般会計歳出総額
（出典：財務省 HP）

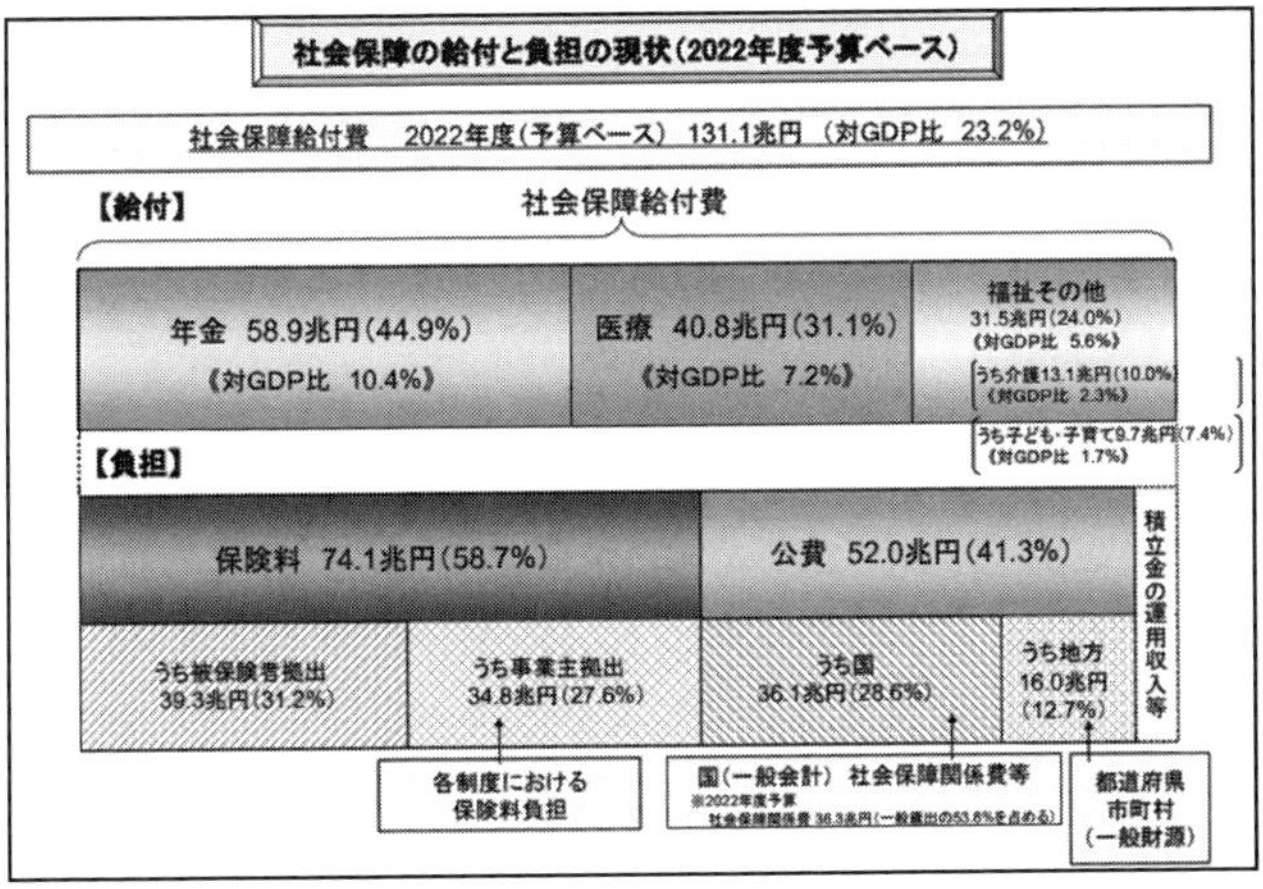

図８　令和４年度における社会保障給付費
（出典：厚生労働省 HP）

てくれています。ここで考えるべきことは、お年寄りの数が増えるにしたがい、それに関わる医療費も増え、税金でカバーする比率が増えていくことです。

一方で、この百三十一兆円の予算の中で成り立っている職業もあります。夕方の街を歩いた時に、訪問介護の車が走っているのを見たことがある人もいるでしょう。あれは、この百三十一兆円の中で賄われているのです。このことから、日本の総理大臣なら、日本で一番大きい産業は何ですかと聞かれたら、「社会福祉」と答えるのが正解なのです。

赤ん坊なら大きくなり、将来の担い手となる未来があります。お年寄りは敬うべきですが、これから衰えていく人達です。これから未来のある若者にとって、その人達のお世話をする負担の比率が大きくなり過ぎるのはどうなのかと、私は考えてしまいます。私自身にもまだ答えはないですが、百三十一兆円の社会福祉産業以外にも、何か経済を成長させる産業をつくらなければいけません。

ちなみに、百三十一兆円という額はどれほど大きい規模でしょうか。世界各国の軍事予算（グローバルノート参照）はアメリカがずば抜けて一番（約八千億ドル）です。これにひたひたと迫りつつあるのが中国（約三千億ドル）です。二、四、五番というのは時によって変わりますが、インド（約七百六十億ドル）、イギリス（約六百八十億ドル）、ロシア（約六百六十億ドル）の三か国です。その五か国の一年間の軍事予算を全部合わせると、為替相場の変動にも左右されますが、大体、日本の一年間の社会保障支出額と同じになるのです。どれほど大きいか、おわかりでしょう。

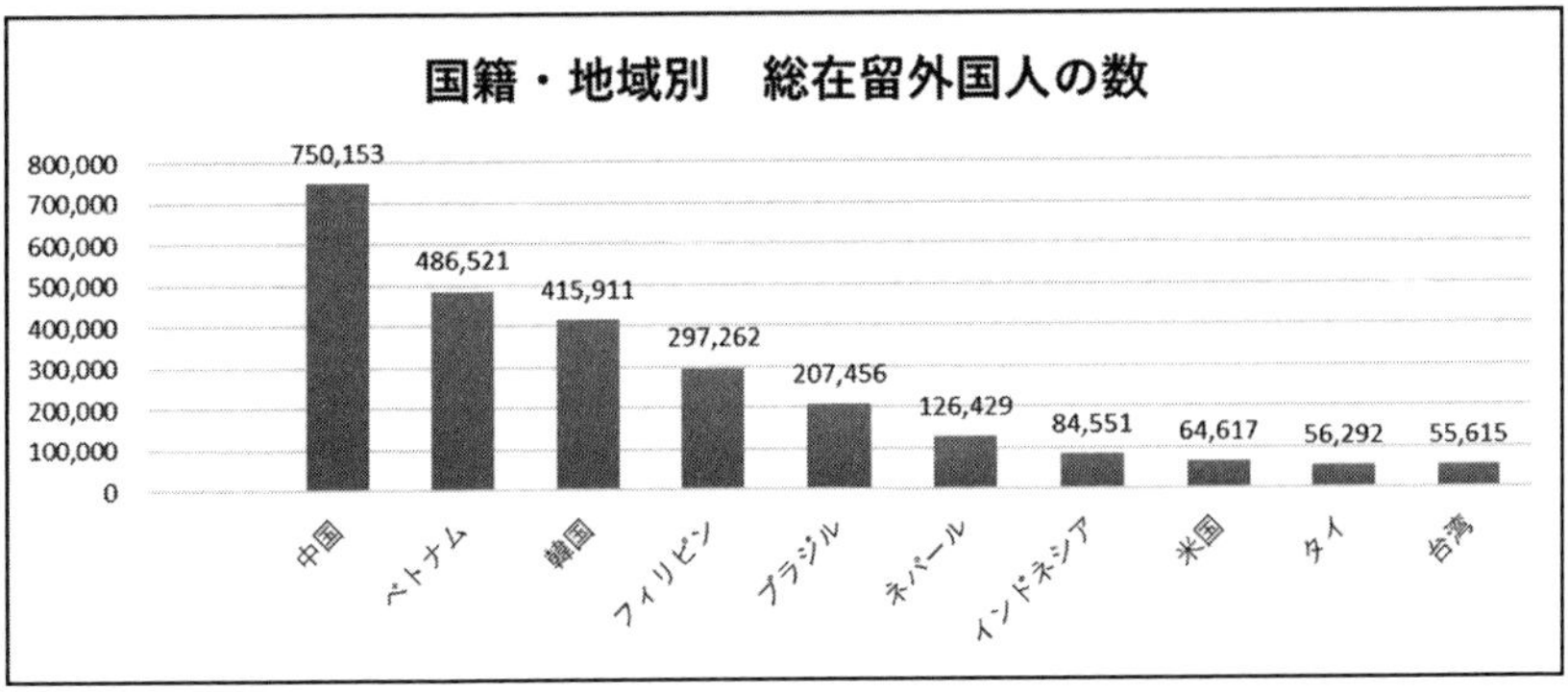

図9　政府統計ポータルサイト「e-Stat」のデータをもとに作成（令和4年6月時点）

解決の難しい移民問題

経済を伸ばそうと思うと、働き手を増やさなければなりません。働き手を増やすためには、子どもがたくさん産まれなければならないのですが、すぐには増えないので、移民を受け入れるという選択肢が出てきます。

図9は、日本に住んでいる外国人の数のグラフです。ずば抜けて多いのは中国人です。移民を受け入れることは、中国人を受け入れることとほぼイコールなのです。ここで悩ましいのは、先に申し上げた「三人いれば中国共産党支部」ということです。規約により、善良なる中国人及び善良なる中国共産党員は、必ずつくらなければいけないのです。責任ある政治家ならば、この棒グラフの中国人の中に、どれほどの割合で中国共産党員がいるかを考えなければなりません。

企業のR&D（研究開発）部門などに中国人を入れる場合は、特に難しい問題になります。その人々は優れた研究者かもしれないし、多くは大変堅実な、そして地道によく働く性格のいい人々かもしれません。そうだとしても、彼または彼女が中国共産党員だとしたら、そこから中国共産党にダイレクトのリポートラインができてしまうのです。今でも、中国人留学生は、中国共産党の出先機関である大使館に集められ、「君は何の研究をしているのか」と聞かれます。聞かれたら、答えなくてはいけません。もし、「答えたくありません」と言えば、彼または彼女の履歴に「×」がつきます。全ての中国人について履歴が管理されているのです。

このような国は人類史にありません。中国共産党とは、人類史が生んだ「最大の人事部」なのです。皆さんは、「自分はもう外国で生きていく」「中国共産党と縁を切る」と言えばいいと思うかもしれないですが、彼または彼女にも家族がいます。中国共産党の支配力が家族に及ばないとも限りませんので、勝手気ままなことはできないわけです。

安倍総理は経済を一番に考えていた

様々なことをお話しましたが、外交においてどうしても変えられない条件とは、今私達がどこにいるかということです。今、日本のご近所で、ロシア、北朝鮮、中国が「惑星直列」状態です。これら三か国の共通点は、核開発に余念がないことです。さらに、その核兵器を運ぶミサイルも増やしています。北朝鮮のミサイルの能力は、あれよあれよという間に大変優れたものになりつつあります。さらに言えば、三か国とも反日、反日米同盟であり、いずれの国も民主主義を採用したことはありません。このような国々と向かい合っている国は、ＯＥＣＤ、Ｇ７先進国の中でも、日本だけです。

ロシア、北朝鮮、中国と向かい合って存在している日本。しかも、その予算の七割は固定されていて自由に使えない日本。経済を伸ばそうとしても、移民を簡単に受け入れることは難しい。ではどうしますか。それを皆さんが、「誰かが何とかしてくれるだろう」と言うのではなく、自分達で考えなければなりません。

アベノミクスとは、実はそれを考えた政策でした。例えば、女性の社会進出を促進しました。働き手を増やすという意味と、従来の男性ばかりの環境では発想も偏ってしまうので、女性の意見も取り入れるという意味で女性を励ましました。それから、お年寄りばかりにお金を使うのではなくて、子育ての負担を下げることに本格的に取り組んだのもアベノミクスでした。

最後に、今覚えておけば一生忘れないことを伝えます。経済を伸ばす方法は三つです。一つ目、「労働を増やす」。労働を増やすには働く人の数を増やすことと、働く時間を増やすことの両方があります。二つ目、「資本装備」。工場なら新しい機械を導入するというように、生産設備を増やすことです。三つ目、「生産性」。この三つしか経済を伸ばす方法はないのです。

日本は今、非常に難しい局面に立たされています。打開するには、これまでのやり方ではなく、新しい売り方、新しい製品、新しいサービスをどんどん生み出していかなくてはなりません。ここで、やはり若い皆さんの力が重要になってきます。自由な発想が大切なのです。男女や年功序列といった固定した役割の観点ではなく、できる人をどんどん増やしていかなくてはならないのです。

安倍さんは経済を一番に考えていました。それは今お伝えした理由からです。本当は国防も強化しなければならないわけです。しかし、国防を強化するにも、お金が必要なのです。予算が増えないと強化できません。そのためには、税収を増やさなければいけないわけですが、税金を無理やり増額して徴収するわけにはいきません。経済を伸ばさないと税金は増えないので、経済を一番に考えていたのです。

そして、何をやるにも「希望」です。十年、二十年、三十年先の日本が、まだ希望が持てる国でなければ、何も始まりません。アメリカ上下両院合同会議でスピーチした「希望の同盟」のあの「希望」という言葉は、安倍政権の最も大切なモットーでした。それは安倍さんの性格が明るいからという一面もないわけではないですが、十年、二十年、三十年先でも、みんなが「日本は大丈夫だ」と思わないと子供もなかなか生まれません。「新しいやり方を試してみよう」という気にもなりません。だから、「希望」と言ったのです。

日本のチャレンジは世界で一番難しいですが、その立ち向かい方を世界は見ています。「日本には希望がある」と思わせるのは皆さんのような若い世代です。

○質疑応答

Q1　インドネシアの学生が、三月十一日の東日本大震災のすぐ後に、日本を励ますために歌をつくり、Ｙｏｕｔｕｂｅに動画をアップしました。その歌に感動した谷口先生がスピーチ原稿をつくり、安倍元総理もその動画を見て大変感動されたというエピソードを伺いました。安倍元総理は、インドネシアという国をどのように見ていたのでしょうか。スピーチ原稿作成の背景についても教えてください。

私はスピーチ原稿を書くとき、自分の心を震わせるような何かを探し求めることにものすごく時間をかけます。自分の心を震わせるものは、必ず安倍さんの心を震わせるに違いないと。スピーチとは、自身が感動しながら話さないと、相手も感動してくれないのです。

総理大臣が感動して読めるようなスピーチを書きたいと思っていたら、インターネットで「桜よ～大好きな日本へ～」という動画を目にしました（Ｙｏｕｔｕｂｅにて「ｅｎ塾」「桜よ」のワードで検索すると、当時のままご覧になれます）。この動画は、インドネシア人の若者からなる日本語演劇グループ「ｅｎ塾」が日本を励ますために、自分達でつくり、アレンジした曲を日本語で合唱しているものです。耳を傾けて見ていると、優しいメロディーでこう聴こえてきました。

「何かを失う寂しさ　あきらめる悲しさ」／「でも春は来る　来年も　その先も　ずっと先も」

そして、サビに入ると、

「桜よ　咲き誇れ　日本の真ん中で咲き誇れ」／「日本よ　咲き誇れ　世界の真ん中で咲き誇れ」

と力強く歌ってくれているのです。そのとき、私の両目からは涙が噴き出していました。震災後、わずか二か月後に五百人のインドネシアの若者が体育館に集まり、自分達でつくり、アレンジした歌を合唱してくれたのです。その体育館は、ジャカルタにある日本人小学校の体育館でした。

外務省が公開している対日世論調査（令和三年度）によれば、インドネシアにとって日本は「とても信頼できる」「どちらかというと信頼できる」と答えた人の割合は九十五％に上ります（図10）。同調査にて、同盟国のアメリカでは、「日本は信頼できる」と答えた人の割合は七十％ですので、インドネシアの日本に対する信頼・好感度は非常に高いことがわかります。そのインドネシアに対して日本は戦後、ずっとＯＤＡ（政府開発援助）を供与し続けています。インドネシアがやがてすごく大切な国になると見越して、援助を続けていたのだと思います。どれほど大切かというと、インドネシアの経済はもしかすると皆さんが生きている間に、日本を容易に追い抜いていくかもしれません。とても人口が多く、急成長している国です。

今後、インドネシアがどのような国になるかは非常に重要です。中国も、インドネシアをはじめＡＳＥＡＮ諸国に対して影響力を及ぼしてきています（図11）。ずっと日本のことが好きだから大丈夫だといって、放っておいていい国ではありません。国が段々と大きくなると、世界の見

Q7 あなたの国の友邦として、今日の日本は信頼できると思いますか。

	Total	ブルネイ	カンボジア	インドネシア	ラオス	マレーシア	フィリピン	シンガポール	タイ	ベトナム
回答者ベース（人）	2,700	300	300	300	300	300	300	300	300	300
1 とても信頼できる	47%	41%	44%	66%	45%	25%	69%	20%	46%	68%
2 どちらかというと信頼できる	45%	51%	50%	29%	44%	62%	29%	62%	48%	27%
3 どちらかというと信頼できない	2%	0%	1%	1%	2%	2%	0%	5%	2%	1%
4 全く信頼できない	1%	0%	1%	0%	1%	0%	0%	1%	0%	1%
5 わからない	6%	7%	3%	4%	8%	10%	1%	13%	4%	2%

Q7-2 なぜ信頼できると思いますか。

	Total	ブルネイ	カンボジア	インドネシア	ラオス	マレーシア	フィリピン	シンガポール	タイ	ベトナム
回答者ベース（人）	2,481	276	283	286	266	261	294	246	282	287
1 友好関係	73%	88%	61%	85%	59%	59%	77%	66%	82%	74%
2 価値を共有する関係	30%	25%	34%	42%	11%	27%	32%	24%	34%	39%
3 経済的結びつき（日本の投資、良好な貿易関係）	59%	78%	60%	71%	22%	56%	63%	66%	51%	66%
4 安全保障（平和構築、テロ対策、ＰＫＯ、海賊対策）への貢献	36%	41%	24%	42%	17%	33%	48%	30%	34%	50%
5 国際秩序（法の支配、自由民主主義、自由貿易体制）の安定への貢献	30%	26%	24%	39%	12%	30%	42%	25%	31%	44%
6 世界経済の安定と発展への貢献	40%	44%	37%	48%	12%	42%	52%	33%	39%	53%
7 魅力ある文化	39%	47%	27%	44%	15%	40%	46%	35%	43%	53%
8 国際社会における開発協力	30%	22%	27%	41%	20%	26%	36%	19%	24%	52%
9 地球規模の課題解決（環境、気候変動、感染症、人口、貧困など）への貢献	26%	25%	27%	31%	17%	21%	36%	15%	19%	38%
10 その他（　　　　　）	1%	1%	2%	0%	1%	2%	0%	0%	1%	0%

図10　令和３年度 ASEAN における対日世論調査（出典：外務省 HP）

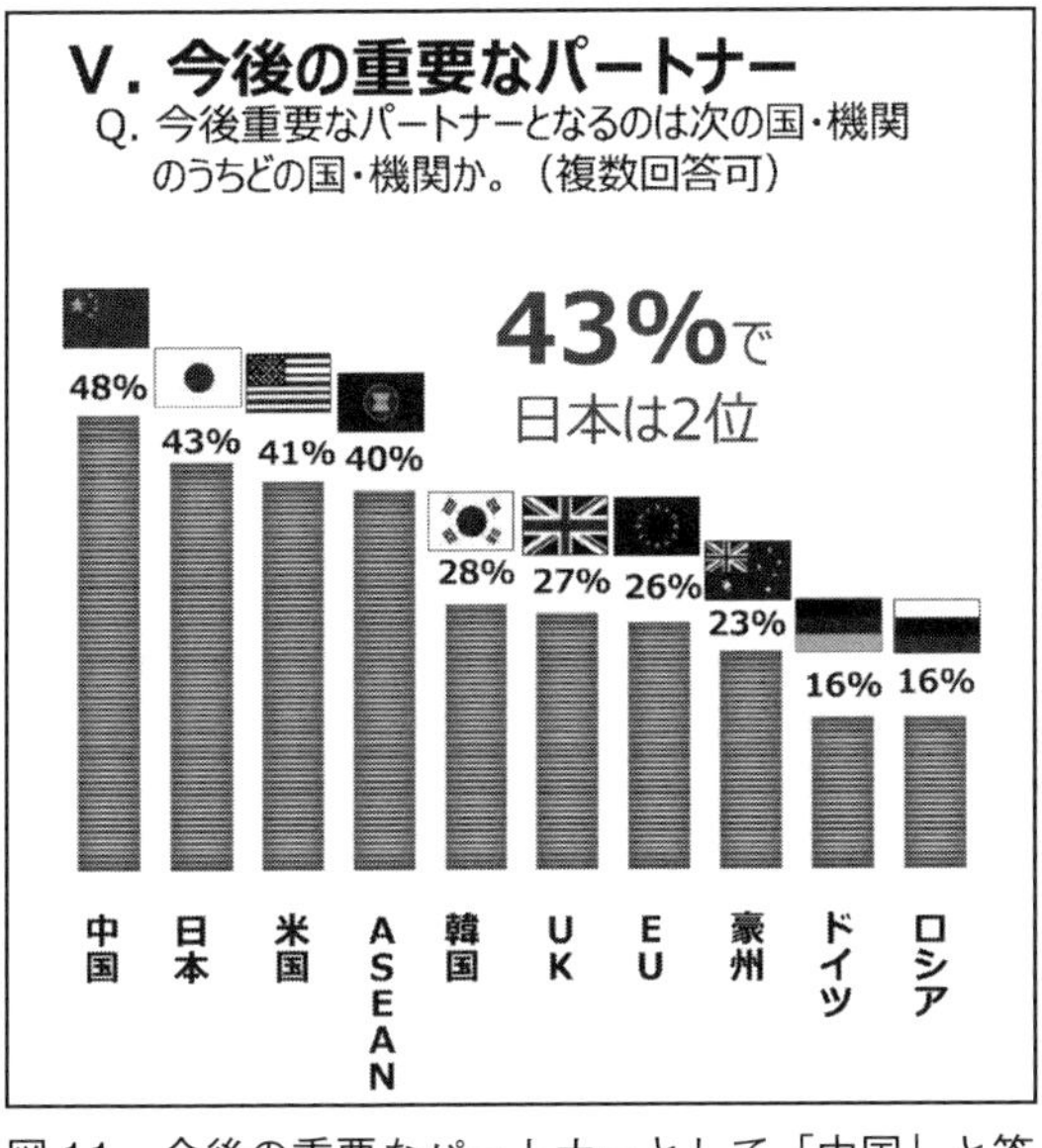

図11　今後の重要なパートナーとして「中国」と答えた ASEAN 諸国全体の割合が、初めて日本を抜いて１位となった（同）

方も変わります。日本の外交にとって必要なのは、インドネシアとの対話を高いレベルで維持することです。そして、インドネシアを尊敬することです。貧乏な国だとか、日本のＯＤＡで成長してきたような国だという上から目線は絶対通用しません。

幸いなことに、インドネシアは共産主義国ではなく、また多くの若者が日本のことを大切に思ってくれていることは、まぎれもない事実です。民主主義を育てながら、日本の強い仲間でいてもらわなくてはなりませんし、そうなってほしいというメッセージを発信し続けていかなければなりません。

Q2　インド太平洋構想を打ち出した安倍元総理の外交哲学とはどのようなものだったのでしょうか。また、いかにして世界の指導者を感化し、説得することができたのでしょうか。

アメリカを敵に回すか、強い味方にするかによって、日本の外交力は大きく変わります。アメリカが「日本の言うとおりだ」と思ってくれれば、力を貸してくれます。このことを、「虎の威を借る狐」と言わないでください。中国、ロシア、北朝鮮と向き合う状況で、日本一国で何ができますか。「リアリスト」として考えるなら、絶対アメリカを味方にしておかなくてはいけません。その判断が揺らぐような政治家に、日本のかじ取りは任せられません。アメリカが好きか嫌いかは関係ないのです。日本の指導者ともなれば、アメリカを味方に付ける以外のオプションはありません。安倍さんは、まずそれをやったのです。

ドナルド・トランプがどれほど気難しい人でも、その懐に飛び込み、仲間に付けなくては日本の外交は成り立たないと思い、見事に実行しました。世界で、ドナルド・トランプに「シンゾー、お前の言うことだったら俺は聞くよ」と言わせた政治家は安倍さんだけです。ドイツ首相のアンゲラ・メルケルは、ドナルド・トランプとの電話会談で「ガチャ！」と一方的に切られました。オーストラリア首相のマルコム・ターンブルも同じ目に遭いました。そうなるよりも、「シンゾー、お前の言う通りだ」と言わせた方が良いに決まっています。そして、イギリスの首相やフランスの大統領が、「安倍さん、ドナルド・トランプとあれほどうまく会話できるのは何故なの」と聞きに来るほどでした。

加えて、日本の総理大臣ならば、中国に対してどのようにバランスを取るかが非常に重要です。中国と縁が切れるのであれば、簡単です。しかし、そう簡単に切れないから難しいのです。上海エリアだけで、小中高、日本人の子供達が二千人います。台湾で戦争になれば、全員人質です。日本の自衛隊が救出に行くのは無理です。中国の領空にどのように入れるでしょうか。

トヨタ、日産、ホンダにしても中国マーケットがないと成り立ちません。中国に対する姿勢について、ユニクロの柳井社長の経営方針が批判されることもありますが、ユニクロの場合、日本にある店舗より中国にある店舗の数が多く、中国の店舗数が世界一なのです。だからといって、「ユニクロはもう日本から出て行け」とは言えません。日本の企業なのだから、その利益は守らなければいけません。かといって、中国共産党の影響力の中で、唯々諾々と日本が従うような国になってもいけません。

まさにそのバランスをどうとるかが安倍さんの悩みでした。秩序を保つためには、アメリカやオーストラリア、そしてインドと手を繋がなくては駄目だという結論になったのです。そして、手を結ぶ時には、「安倍さんのことが好きだな」というような親愛、友情で結ばれる方がいいに決まっています。よくこれを上手に実践したと思います。後から考えると益々思いますが、安倍さんという人は、「貴方のことを知りたいと思って来たんですよ」というように、真っすぐに相手を見つめるのです。外国の指導者にとっては、「おお、来たな」という印象を抱いたのではないかと思います。また、表裏のない人だったわけで、しまいには習近平も、安倍さんに対して本音を話すようになりました。

これは『安倍晋三回顧録』に記されているエピソードですが、ある時、習近平が「自分がもし米国に生まれていたら、米国の共産党には入らないだろう。民主党か共和党に入党する」と安倍さんに話したのです。アメリカにも共産党があるにもかかわらずです。これは、習近平が関心があるのは思想信条ではなく、パワー（権力）だということを如実に表しています。

実は、その本には載っていない後日談があります。習近平の発言を聞いて、中国側の全員が凍り付きました。その言葉を笑っていいのか、どうすればよいのかわからなかったからです。そこで、安倍さんが何と言ったか。「そうですか、習近平さん。もし、習近平さんが日本でお生まれになっていたら、きっと自民党ですね」と笑いを取ったといわれていますが、これは未確認情報です（笑）。とにかく、習近平でさえ、安倍さんには本音を話すようになったということです。

安倍さんという人は、ピッチャーにたとえると、変化球はあまり投げず、直球しか投げません。そういう人だからこそ、世界の指導者と信頼を築くことができたのだと思います。地政学的に言えば、インド、アメリカ、オーストラリアと仲良くしなければいけないことはわかっています。

ただ、仲良くするにしても、ナレンドラ・モディというインドの首相が「本当に安倍さんが好きだな」と思ってくれるのと、「必要だから付き合う」というのでは連携の度合いが異なります。

それが安倍さんのやり方でした。

著者略歴

ケント・ギルバート

1952年、米国アイダホ州生まれ。カリフォルニア州弁護士。1980年に来日し、「世界まるごとHOWマッチ」などテレビに出演。弁護士業と並行しながらタレントとしても活躍。現在は、講演や執筆活動を中心に取り組んでいる。『米国人弁護士だから見抜けた日本国憲法の正体』(KADOKAWA)など著書多数。

伊藤《いとう》　俊幸《としゆき》

1958年、愛知県生まれ。防衛大学校機械工学科卒、筑波大学大学院地域研究科修了。元海上自衛隊海将。潜水艦「はやしお」艦長、在米国防駐在官、統合幕僚学校長、海上自衛隊呉地方総監などを歴任。現在、金沢工業大学大学院教授。リスクマネジメント、リーダーシップ・フォロワーシップを担当している。

ジェイソン・モーガン

1977年、米国ルイジアナ州生まれ。テネシー大学で歴史学専攻後、米国・中国・日本の諸大学で研究に従事。現在、麗澤大学国際学部准教授。日本国憲法の成り立ちやアメリカの社会状況を鋭く指摘している。著書に『日本が好きだから言わせてもらいます グローバリストは日米の敵』(モラロジー道徳教育財団)等がある。

河野《かわの》　克俊《かつとし》

1954年、北海道生まれ。防衛大学校機械工学科卒業後、海上自衛隊に入隊。護衛艦隊司令官、自衛艦隊司令官、海上幕僚長を経て、第5代統合幕僚長に就任。安倍晋三元総理からの信頼が厚く、3度の定年延長を経て、在任は異例の4年半にわたった。2019年4月に退官。著書に『統合幕僚長 我がリーダーの心得』(ワック)等がある。

石《せき》 平《へい》

1962年、中国四川省生まれ。北京大学哲学部卒業。四川大学哲学部講師を経て、1988年に来日。1995年神戸大学大学院文学研究科博士課程修了後、民間研究機関に勤務。2007年、日本に帰化。評論家として中国の時事・歴史問題を中心に分析・発信している。『そして中国は戦争と動乱の時代に突入する』（ビジネス社）など著書多数。

兼原《かねはら》 信克《のぶかつ》

1959年、山口県生まれ。東京大学卒業後、外務省に入省。国際法、安全保障、ロシア（領土問題）が専門分野。第二次安倍政権で、内閣官房副長官補および国家安全保障局次長を務める。2019年退官。現在は、同志社大学特別客員教授。著書に『安全保障戦略』（日本経済新聞出版）、『歴史の教訓』（新潮社）等がある。

ナザレンコ・アンドリー

1995年、ウクライナ東部ハルキウ市生まれ。2013年、親欧米側学生集団による国民運動に参加。2014年に来日。日本語学校を経て、大学で経営学を学ぶ。現在は国際貿易会社に務める傍ら、政治・外交評論家としても活躍し、SNSのフォロワー数は25万人以上。著書に『自由を守る戦い―日本よ、ウクライナの轍を踏むな！』（明成社）等がある。

谷口《たにぐち》 智彦《ともひこ》

1957年、香川県生まれ。1984年、東京大学法学部卒業後、日経マグロウヒル社（現・日経ＢＰ社）に入社。「日経ビジネス」記者として、ロンドン支局特派員など海外勤務も経験。2014年から内閣官房参与として安倍晋三総理の外交政策演説を担当。現在は、筑波大学特命教授。著書に『安倍総理のスピーチ』（文藝春秋）等がある。

トークライブ　今《いま》こそ問《と》う！
日本《にほん》の「平和《へいわ》」と憲法改正《けんぽうかいせい》

令和五年五月三日　初版第一刷発行

編　者　憲法ＢｌｕｅＷａｖｅ
著　者　ケント・ギルバート、伊藤俊幸、ジェイソン・モーガン、河野克俊、石平、兼原信克、ナザレンコ・アンドリー、谷口智彦

発行者　田尾憲男
発　行　株式会社明成社
〒一五〇―〇〇三一
東京都渋谷区桜丘町二十三番十七号
シティコート桜丘四〇八
電　話　〇三（六四一六）四七七二
ＦＡＸ　〇三（六四一六）四七七八
https://meiseisha.com
印刷所　モリモト印刷株式会社
乱丁・落丁は送料当方負担にてお取り替え致します。

ISBN978-4-905410-72-0　C0031